D0652976

Retour Calypso

Matthijs Eijgelshoven

Retour Calypso

Ambo|Anthos
Amsterdam

ISBN 978 90 263 3402 3
© 2016 Matthijs Eijgelshoven
Omslagontwerp en -illustratie Bloemendaal & Dekkers
Foto auteur © Ruud Pos

Verspreiding voor België:
Veen Bosch & Keuning uitgevers nv, Antwerpen

1

In mijn vroegste herinnering duwt mijn moeder me in een buggy over het asfalt, tegenover het restaurant, langs de zee. Een eind verder zet ze de buggy aan de kant van de weg, met mijn gezicht naar het water, en knielt naast me neer. Ze zegt: 'Leun eens voorover.'

We laten onze hoofden hangen en bewegen ze zacht heen en weer, zodat de wind door onze haren en over de huid in onze nek strijkt. 'Zo voelt vrijheid,' zegt ze.

Ik moet dat er later bij verzonnen hebben, dat ze dat zei, ik was twee en kende het woord vrijheid helemaal niet. In werkelijkheid bestaat mijn herinnering alleen uit beelden, hoe de wind voelde en hoe de zee rook, kan ik niet terughalen. Gek genoeg werkt het andersom wel, toen ik gisteren aan de waterkant stond met een tas boodschappen in mijn hand, en het zout in de bries proefde, kwam deze herinnering naar boven.

Er is nog een beeld van die dag. Halverwege de heuvel loopt de buggy vast in het zand. Mijn moeder duwt een paar keer tegen de handvatten, maar de wielen blijven steken. Ze geeft een flinke zet en ik schuif naar voren. Dankzij het riempje om mijn buik, val ik er niet uit. Mijn moeder zucht en loopt de heuvel af, de buggy voorzichtig met zich meetrekkend, terug naar het restaurant.

Gisteravond heb ik mijn vader aan de telefoon verteld over deze herinnering. Hij zegt dat mijn moeder nooit met mij in de buggy ging wandelen en dat ik er überhaupt maar een paar keer in heb gezeten, omdat ik meestal zelf liep of we met de auto gingen. En als ik er wel in zat, duwde hij. Misschien was hij gewoon niet thuis, die ochtend of middag dat zij met me ging wandelen.

Hoe dan ook vind ik het raar dat mijn eerste herinnering er een aan mijn moeder is, en niet aan hem. Het doet me denken aan iets wat ik ooit gelezen of gehoord heb, dat de meeste baby's eerder papa dan mama zeggen, omdat ze hun vader veel minder vaak zien en voelen dat ze meer hun best moeten doen om hem aan zich te binden. Waarschijnlijk is de waarheid veel eenvoudiger, kunnen babymondjes gewoon eerder pa voortbrengen dan ma.

2

Het voelt onwerkelijk hoe ik Gozo op rijd. Bij de oude veerboot kwam je via de laadklep gelijkvloers op de wal uit, nu
zweef ik boven het eiland op de nieuwe afrit van het bovenste
autodek naar de kade. Ik sta vrijwel stil, ingeklemd tussen de
andere auto's, en het is alsof ik alles nog zou kunnen vermij-
den, zoals je je tenen kunt terugtrekken wanneer je het water
in het zwembad te koud vindt. Maar ik kan niet terug, ik kan
alleen mee met de voortkruipende rij.

Beneden duurt het lang voordat alle verkeer zijn weg heeft
gevonden het eiland op. Ik vraag me af wat het zegt over de
vooruitgangsdrang van mensen, dat ze een nieuwe terminal
voor de veerboot hebben aangelegd, ruim, licht en modern
vormgegeven, en dat ze ondertussen nog geen spade in de
grond hebben gestoken om de oude toegangsweg naar de
haven breder te maken. Sinds deze eilanden onderdeel zijn
van de Europese Unie wordt er veel gebouwd, maar niemand lijkt te weten hoe je de toekomst kunt laten aansluiten
op het verleden.

Ik neem de oude weg de heuvel op. Behalve het gebouw voor de veerboot en de nieuwe op- en afrit, is er in tien jaar niks veranderd aan het uitzicht, alles is nog net als op de dag dat ik vertrok, dezelfde dobberende plezierjachten die me vlinders in mijn buik gaven en hetzelfde donkerblauwe water, waarvan het me pas na jaren is gelukt om het te schilderen zonder dat het vlak werd. Als we hier vroeger reden op weg naar huis, na een uitstapje naar Malta, staarde ik vanaf de achterbank verlangend over zee. Wat er op mij drukte, heb ik nooit onder woorden kunnen brengen. Er waren dagen dat ik huilde achter in de auto, en dat mijn ouders me probeerden te troosten, eerst geduldig, maar al snel geïrriteerd, vooral mijn moeder, omdat ze geen idee hadden wat er met me aan de hand was. Het ging thuis vanzelf voorbij, ik at langzaam en zwijgend mijn avondeten op, ging slapen en wanneer ik wakker werd, was het een ochtend als alle andere.

Het is nog een halfuur rijden naar het restaurant, en ik zie ertegen op om straks het portier open te doen en uit mijn auto te stappen. De hele weg heb ik de airco aangehad, behalve op de boot, waar ik de motor uit moest zetten. Ook toen heb ik het raam niet geopend en ben ik niet uitgestapt, zodat mijn auto nog steeds gevuld is met de lucht uit mijn eigen straat.

Victor zwaaide me uit vanaf de drempel. Hij leunde tegen de deurpost, wuifde en ging naar binnen voor ik de straat uit was. In het atelier had hij me sterkte gewenst en voor de vorm nog een keer gevraagd of hij echt niet mee hoefde. Ik gaf hem hetzelfde antwoord als gisteravond, dat hij beter thuis kon blijven om te werken. Ik zei hem dat we geld moeten verdienen, het seizoen begint bijna en de wanden van de galerie moeten vol hangen voordat de toeristen komen. Wat ik niet tegen hem heb gezegd, is dat als hij meegaat, ik niets heb om naar terug te gaan.

Ik merk nu al, tijdens het rijden, dat de jaren op Malta worden weggevreten onder de wielen van mijn auto, afgescheurd als dagen van een kalender die achteruitloopt. Het is precies waar ik bang voor ben geweest, dat afstand een goed wapen is, maar tijd niet. Ik stap zo terug en wat ik aantref lijkt helderder geworden met de jaren, het beeld scherp en het geluid duidelijk, een verhaal met details maar zonder vorm.

Hun gezichten zoals ik ze voor het laatst heb gezien, naast elkaar. Het is middag. Ik zit te tekenen in de serre van het restaurant, op een groot vel, drie vrouwen, de drie gratiën in lange jurken, die ik nateken uit een van mijn moeders modebladen. Mijn concentratie wordt verstoord door gestommel op de trap. Ik kijk op en zie mijn moeder een grote koffer naar beneden slepen. Halverwege de serre, op weg naar de deur, krijgt ze door dat ik er zit en draait ze zich naar me om. Het zonlicht valt door het glazen dak en werpt een korte schaduw aan haar voeten, van een vrouw met een koffer en een kleine jongen ernaast. Hun silhouet op de vloer maakt me intens verdrietig. Het kind heeft zijn hand in de hare. 'Dag, Daniël,' zeg ik, maar hij zegt niks, hij kijkt mij alleen verwachtingsvol aan.

Een vrachtwagen haalt me in, dendert langs met een lege oplegger waarvan het uiteinde mijn kant op slingert. Van schrik rijd ik bijna de berm in en ik trek aan het stuur om de auto op de weg te houden. Vanaf nu concentreer ik me alleen op het rijden en denk ik nergens meer aan.

3

Vanuit de auto zie ik al dat de kozijnen een schilderbeurt nodig hebben. Ik kan me maar moeilijk voorstellen dat mijn vader tien jaar lang niks heeft gedaan. Hij is altijd bezig geweest
met dit restaurant, als er geen gasten waren, lapte hij de ramen, vlocht losgeraakte stukken rotan terug in de terrasstoe-
len, boende vlekken uit tafelkleden of vouwde servetten.
Aan het begin van elk seizoen schilderde hij het uithangbord
over, letter voor letter, ongeacht of het nodig was of niet. Ik
heb er niet op gelet of hij dat dit jaar ook heeft gedaan, maar
het zal iets zeggen over de staat waarin ik hem aantref.

Ik duw het portier van mijn auto open en stap uit. De laatste afstand tussen Gozo en mijzelf valt weg, ik ruik de zee, het
door de wielen omgewoelde zand en de zoete verrotting van
de bloeiende distels en bloemen op de heuvel. Ooit was het
de geur van thuis, nu stoot hij me af en is het de wolk verbran-
de benzine die nog bij mijn uitlaat hangt waar ik me aan vast-
klamp, die ik opsnuif tot hij wegdrijft.

Ik steek het terras over en duw de klink omlaag. De deur is

op slot. Door het raam zie ik mijn vader zitten aan de ronde tafel, achter in het restaurant. Hij moet mij gezien hebben, maar hij groet niet en maakt geen aanstalten om overeind te komen.

Boven de deur glanzen de letters. Hij heeft ze geschilderd, onder de 's' van Bistro hangt een zakker, helemaal tot aan de onderkant van het bord. Hij is altijd erg precies geweest en ik weet niet wat ik hiervan moet denken, of ik deze letters moet zien als een bemoedigend teken, of als een waarschuwing.

De poort naar de binnenplaats is niet afgesloten. Ik stap het

achtererf op, een functioneel stuk beton met in het midden een kleine boom en verder kratten en afvalcontainers, zoals je ze vindt achter alle restaurants. Een van de eerste dingen die ik zie, is de tuinhark, die naast de poort rechtop tegen de muur staat. Ik pak de steel vast en knijp er stevig in, om me ervan te vergewissen dat het inderdaad dezelfde hark is. Onwillekeurig blijft mijn hand over het hout glijden. Het is droog en zacht geworden, bijna harig, als fluweel.

Vrijwel elke dag, in de ochtend of na de lunch, pakte mijn vader deze hark en trok hem door het zand, waar nu mijn auto staat. Hij werkte van de heuvel naar de weg. De eerste baan trok hij langs de muur van het plaatsje, de serrewand en het terras, tot aan het asfalt, en dan volgde baan na baan ernaast, steeds in dezelfde richting, tot hij bij de erfgrens kwam. Daniël en ik liepen voorovergebogen langs de rand van de weg en verzamelden de papiertjes en kroonkurken die hij onze kant op harkte.

Wanneer we alles hadden opgeraapt, brachten we het naar

de container achter op het plaatsje. Daarvoor moesten we over het vers geharkte zand lopen. Ik probeerde de strakke lijnen zo lang mogelijk intact te laten en nam zo groot mogelijke stappen. Mijn vader slofte er als een luie giraf doorheen, alsof hij niet net al die moeite had gedaan en Daniël, die rende meteen terug naar de poort, het zand opstuivend achter zijn voeten, zich al verheugend op de volgende dag, wanneer hij ons weer mocht helpen. Als ik vanuit de poort naar de weg keek, zag ik alleen zijn voetstapjes en dan loste de weerstand die ik had gevoeld tegen het overhoophalen van onze net aangebrachte orde meteen op, alsof Daniëls vreugde in mijn borst terecht was gekomen, als een ziekte waarvan de symptomen zich na besmetting direct openbaren.

Ik geef de hark een duw en hij valt om, met zijn steel op het beton. Hij ziet er gevaarlijk uit, met zijn scherpe punten naar boven. Ik ga op mijn knieën zitten en draai hem met twee handen om, zodat de punten naar beneden wijzen en hij niemand kwaad kan doen. Dan ga ik door de achterdeur naar binnen.

'Dag, Alfred.' Ik buk me en kus mijn vader op zijn voorhoofd. Hoe gaat het? wil ik vragen, een automatisme, maar het is een stomme vraag.

'Heb je geen koffer?'

'Die ligt nog in de auto.'

'Je kamer is schoon, maar je moet zelf het bed opmaken. Lakens liggen in mijn kast.'

Ik ga zitten. Onze handen liggen als dode muizen op de tafel. Het is donker hierbinnen en de wanden in deze hoek bij de trap zijn behangen met zeegezichten die ik heb geschilderd in mijn tienerjaren. De meeste zijn onhandig, met kleuren die net geen effect hebben, of te ambitieus, waardoor ze in gepriegel zijn ontaard. Ik word er nijdig van. 'Je moet die dingen weghalen.'

'Ik vind ze mooi.'

'Morgen maak ik wat nieuws voor je. Kun je dat ophangen.'

Hij zit te mokken en ik laat het voorbijgaan. Hij heeft onze tijd met zijn tweeën ingelijst, zoals ik met de zee heb gedaan op die doeken. Ik leg mijn hand op de zijne. Een tijdlang zitten we zo, zonder te spreken. Twee schilderijen ontdek ik uiteindelijk waar ik met enige toegeeflijkheid naar kan kijken. Ik herken mijn talent erin. Dat heb ik wel geleerd door de jaren heen, om te zien wat goed is en wat niet.

'Wil je koffie?'

'Nee.' Hij trekt zijn hand weg en legt hem in zijn schoot. 'Daar word ik misselijk van. Doe maar thee.'

4

Ik herinner me een ochtend aan het ontbijt. Ik ben zes jaar oud en we zitten aan de ronde tafel, naast de bar, allemaal op onze vaste plek. Mijn vader zit met zijn gezicht naar de deur van de serre, waar hij altijd is blijven zitten, klaar om in beweging te komen als er een klant over de drempel stapt. Mijn moeder zit met haar rug naar het restaurant en smeert brood voor mij, met ham en jam en soms met koud vlees, in plakken gesneden resten van de avond ervoor. Dat vind ik het lekkerste beleg. Ik zit tussen ze in.

'Je ziet er altijd zo mooi uit, mama.'

'Het is lief dat je dat zegt.'

'Je lijkt op die mooie vrouw op tv, die altijd vertelt wat er komt.'

Mijn moeder lacht flauwtjes om mijn compliment, maar mijn vader wordt enthousiast.

'Jouw mama heeft in een film gespeeld.'

Mijn moeder legt een stuk brood met jam op mijn bord. 'Kom, Suzy, eet eens op,' zegt ze tegen mij.

'Een film op televisie?'

'Nee, in de bioscoop, een echte film.'

Ik ben nog nooit in een bioscoop geweest. 'Waar speelt ze dan mee?'

Mijn vader lacht. 'Kom maar kijken,' zegt hij en hij staat op. 'Op de video.'

Ik laat de rest van mijn brood liggen en ga hem achterna.

'Ze moet zo naar school,' zegt mijn moeder nog, maar mijn vader is al halverwege de trap en trouwens, wij weten ook wel dat ik naar school moet.

Op hun slaapkamer duwt mijn vader een band in de videorecorder en spoelt hem naar het goede punt.

Ik zie mijn moeder langs de zee wandelen en ben wat teleurgesteld, want ze loopt alleen maar en het is heel snel voorbij. 'Is het al klaar, papa?'

'Ja, het is niet zo lang. Maar het is wel een echte film, die heel veel mensen hebben gezien.'

'Je zei dat ze speelde, maar ze speelt helemaal niet.'

'Hoe bedoel je?'

'Ze loopt alleen maar.'

'Ik bedoel grotemensenspelen. Dan speel je dat je iemand anders bent. Jouw moeder speelt daar een mevrouw die in Frankrijk woont.'

'Waar is Frankrijk, papa?'

'Kom, ik breng je naar school.'

De weg naar school loopt in een lus helemaal om de land-tong heen en samen snijden we een stuk af, achter de huizen langs, zoals elke ochtend. Mijn vader houdt mijn hand vast. De mijne zijn altijd koud. Soms, als ik teken, moet ik het potlood neerleggen en mijn handen tussen mijn benen klemmen om ze weer soepel te krijgen. Als hij dat ziet, stuurt hij me naar buiten om de heuvel een paar keer op en af te rennen. Laatst heeft hij een springtouw voor me gekocht, maar ik ben niet zo goed in touwtjespringen. Mijn vriendinnetje Alessandra wel, die heeft een hele middag op het terras staan springen en laten zien wat ze allemaal kan, vooruit draaien, achteruit draaien, op één been, en nog meer dingen, waardoor ik helemaal niet meer met het springtouw wil spelen.

'Kun je me dragen?' vraag ik aan mijn vader. Zijn hand is zo lekker warm en ik wil die warmte tegen mijn hele lichaam voelen.

'Je hebt benen en voeten. We lopen allebei zelf naar school.'

'Ik heb het koud.' Er staat een noordenwind en de bloes van mijn schooluniform is dun, maar we zijn nog niet in het seizoen dat het vest erbij aan mag. 'Echt, papa, ik heb het koud.'

Hij glimlacht en tilt me op.

Ik sla mijn benen om zijn middel, mijn armen om zijn hals en leg mijn hoofd in zijn nek. Zo vergeet ik dat ik naar school ga, ik kijk naar het pad achter mijn vader en de lange schaduwen van huizen en ik wil dit tekenen, elke ochtend wil ik tekenen, maar ik moet in een bankje zitten en woorden lezen en als ik 's middags vrij ben, is dit pad niet mooi meer omdat de zon dan te hoog staat. Ik zou er verdrietig van kunnen worden, maar niet als mijn vader me draagt, daarvoor is het veel te fijn om in zijn armen te deinen, minutenlang.

Als ik op school aankom en hij me neerzet op het plein tussen de andere kinderen, is het alsof ik voor de tweede keer moet ontwaken. Dat duurt meestal tot ik de gang door ben en ons lokaal binnenloop. Dan laten we elkaar zien welke boekjes we aan het lezen zijn en wat we van huis hebben meegenomen en op dat moment begint de dag, die verder voor mij net zo is als voor iedereen. Alleen denk ik af en toe tussen de woorden door aan de schaduwen op het pad en de sterke armen van mijn vader.

Deze dag heb ik wat te vertellen. Ik stoot Alessandra aan tijdens het lezen en we leunen naar elkaar toe. 'Mijn mama is op onze televisie,' fluister ik.

'Dat kan helemaal niet.'

'Meisjes, we zijn stil aan het lezen.' Onze juf komt uit Engeland en heeft een lange vlecht van saai bruin haar. Zij zal nooit op televisie komen.

'Mijn mama is op tv omdat ze heel mooi is.'

'Mama's kunnen toch niet in de tv.'

'Ze speelt in een echte film. Grotemensenspeelt.'

'Suzanne.' De juf staat voor mijn tafeltje. Normaal is ze best lief, maar nu heeft ze haar handen in haar zij gezet en ik begrijp dat dat niet goed is. 'Jij komt naast me zitten.' Tegen haar bureau staat een tafeltje, en dit is de eerste keer dat ik daar moet zitten. Met mijn boek in mijn handen loop ik door de klas. Het is helemaal stil, iedereen ziet me lopen en ik kijk alleen naar de grond. Het linoleum ruikt naar verse was en als ik me goed concentreer op die geur, lijkt hij los te komen van de omgeving. Ik snuif hem op en houd mijn adem in, zodat ik nergens anders meer aan denk.

Aan het tafeltje lukt het me niet om te lezen. De letters lijken ineens vreemde, kleine tekeningen van iemand die niet weet wat ze maakt, die misschien alleen de punt van haar potlood wilde testen. Ik houd mijn handen op mijn oren en staar naar het papier, totdat we de boekjes weg moeten leggen en gaan rekenen.

In de pauze mag ik niet naar buiten, ik moet wachten tot lunchtijd voordat ik mijn nieuws verder kan vertellen. Als de bel is gegaan en we naar buiten lopen, ren ik achter mijn vriendinnen aan, die al zonder op mij te wachten de gang in zijn gestapt. Zij hebben nooit aan dat tafeltje gezeten, maar het kan me niks schelen wat zij nu van me denken. Dat zal zo toch veranderen, als ze horen wat ik te vertellen heb.

Op het plein haal ik ze in, bij de boom, waar we wachten tot onze mama's ons komen halen voor de lunch. Alleen ik word elke dag door mijn papa gehaald.

Mijn moeders filmscène heb ik als meisje nog vaak in mijn hoofd afgespeeld. Eén shot van een halve minuut, waarin ze over een boulevard wandelt. De film is gemaakt door Martini, een vriend van mijn ouders, een paar jaar voor mijn geboorte. Ik ben vergeten wat de titel is, of waar hij over gaat. Iets vaags en Frans, zoals alles wat hij heeft gemaakt. De hele film heb ik maar een of twee keer gezien, hij is vreselijk saai. Wel heb ik de band vaak naar het einde gespoeld, om mijn moeders naam te zien in de aftiteling. Lucinda Lalande. Zo heette ze, tot ze trouwde en Lucinda Koster werd.

5

Nadat ik het bed heb opgemaakt en mijn koffer boven heb gezet, komt Martini langs, zoals hij vroeger elke avond deed. Ik ken hem al mijn hele leven en heb hem niet één dag zien werken. Ik heb daar nooit bij stilgestaan toen ik hier nog woonde, maar nu ik hem na al die tijd weer zie, dringt deze gedachte zich ineens aan me op. Dag in, dag uit werk ik in een atelier, waar ik dankzij hem terecht ben gekomen, en ik kan me niet indenken waarom de man die mij zo heeft aangespoord, zelf nooit meer iets heeft willen creëren.

Hij vond dat ik Gozo moest verlaten. Hij regelde schilderlessen voor me bij Victor Maratta, door hem een schilderij van mij te laten zien. Hij betaalde ze ook. Zelf is hij al die jaren zijn avonden blijven slijten aan de bar van dit restaurant en nu is onze begroeting ongemakkelijk. Hij weet niet waar hij zijn armen moet laten en probeert zich ingetogen te gedragen.

'Doe alsjeblieft normaal,' zegt mijn vader.

Ik kus Martini op beide wangen en wacht tot hij ook aan tafel zit. Zonder te vragen wat ze willen drinken, schenk ik bij de bar twee glazen whisky in. Of mijn vader nog alcohol verdraagt, weet ik niet, maar hij zegt niets als ik de glazen voor hen neerzet.

Martini knikt bij wijze van bedankje en zet de kleine televisie aan, die op een plank tussen de zeegezichten staat. Samen kijken ze naar Italiaans voetbal, armen gekruist voor de borst, zonder commentaar te geven op het spel.

Jaren later, toen we allang getrouwd waren, heb ik Victor weleens gevraagd of hij meteen mijn talent herkende in het schilderij dat Martini hem had laten zien. 'Ik zag vooral dat je nog veel kon leren,' was zijn antwoord.

Twee oudere stellen komen binnen. Ik dacht dat het restaurant gesloten was, al hebben we het er niet over gehad. Het leek me vanzelfsprekend, maar vanbuiten ziet het er blijkbaar uit alsof we open zijn.

Mijn vader groet de gasten en loopt naar ze toe. Ik wacht af wat hij zal doen, ze wegsturen of ze een tafel wijzen.

Even later zitten ze, kleurige windjacks over de rugleuningen van hun stoelen, handtasjes en fototoestel op tafel.

'Ze willen de kip, dat is makkelijk,' zegt mijn vader, op weg naar de keuken. 'Moet jij niet eten?'

Ik heb helemaal geen trek, maar zo dadelijk, als ik de geur van kip in de oven ruik, zal dat anders zijn, hoop ik, dus ik laat hem ook voor mij een bord klaarmaken.

'Doe jij de drankjes?' vraagt hij, voor hij de keuken in verdwijnt.

Moeiteloos glijd ik in mijn oude rol en terwijl Martini tv-kijkt, kookt mijn vader en maak ik een praatje met de gasten, ontkurk de wijn en loop af en aan met borden, schaaltjes en kopjes koffie aan het eind.

Ze blijven niet lang, en aan mijn vader te zien is dat maar goed ook. Hij is uitgeput en als ze weg zijn, gaat hij meteen naar bed.

Martini geeft me een schouderklopje, alsof ik een kind ben met een goed rapport, en stapt in zijn auto.

Mijn kip is koud, droog en taai geworden. Ik pak de fles wijn erbij die de gasten hebben achtergelaten. Hij is nog half-vol en met een paar flinke slokken, lukt het me om de kip fijn te kauwen en door te slikken. Nadat ik ben uitgegeten, draai ik de deur op slot en was af. Daarna doe ik de lichten uit en kruip in bed, hoewel ik nog genoeg energie heb. Er is niks anders te doen.

Ik moet eraan wennen hoe smal zo'n eenpersoonsmatras en dekbed zijn. Elke keer als ik me omdraai, ligt mijn rug bloot. Toch heb ik ruim twee derde deel van mijn leven in dit bed geslapen, en ik kan me niet herinneren dat ik toen ooit last heb gehad van het smalle dekbed. Comfort went snel en het moeten missen is een ergernis, maar op de een of andere manier is het nu een welkome ergernis, het bevalt me hoe ik mijn lichaam bewuster waarneem, net als op de harde, houten stoelen beneden.

De laatste keer dat ik mijn vader heb gezien, is een halfjaar geleden. Het was voor mij een belangrijke dag, daarom was hij naar Malta gekomen. Hij moest het restaurant er twee dagen voor sluiten, dat zal hem niet licht zijn gevallen, maar ik vond dat ik het wel van hem mocht verwachten. Bovendien zei hij zelf dat hij er graag bij wilde zijn. Van zijn aankomst is me weinig bijgebleven, die is opgegaan in de wat gespannen activiteiten van de dag. We troffen voorbereidingen voor de avond en er was geen gelegenheid om stil te staan en iets in me op te nemen. De avond zelf daarentegen, staat me helder voor de geest.

De galerie was gevuld met mensen en het licht leek extra fel, omdat het buiten regende en het al was gaan schemeren. Ik stond naast Victor met een glas champagne in mijn hand, het tweede of derde. Hij was nog steeds bezig met zijn praatje en ik moest zorgen dat ik niet te snel dronk, zodat ik straks nog uit mijn woorden kon komen. Een paar keer noemde hij mijn naam, voor het eerst in al die jaren dat we samen de galerie vullen.

Mijn vader glom van trots en ik voelde me daar ongemakkelijk bij, alsof hij van mijn verdienste de zijne wilde maken. Gedurende de rest van Victors speech keek ik niet meer naar mijn vader, maar alleen naar mijn gezicht op een vissershaven, niet ver van de stad, een van de stukken waar ik de meeste genegenheid voor voelde. Daarna mengde ik me tussen de mensen en liet me gewillig complimenteren door wie maar wilde, zolang het mijn vader niet was.

Uiteindelijk voelde zelfs Victor zich genoodzaakt het gepaste gedrag van een familielid te vertonen en een gesprek met hem aan te knopen, achter in de galerie, naast de tafel met nootjes.

Deze gedachten maken me onrustig, waardoor het bed nog smaller lijkt en het matras bultiger dan het in werkelijkheid is. Ik probeer ze weg te duwen, door te tellen tot ik in slaap val en me elk getal in neonletters voor te stellen tegen de binnenkant van mijn oogleden, zodat ze zo aanwezig zijn in mijn hoofd dat er voor andere dingen geen plaats meer is. Rond de negentig raak ik de tel kwijt en een aantal keer begin ik opnieuw, bij een willekeurig getal, tot ik uiteindelijk in slaap val.

In mijn droom klagen klanten in het restaurant over het konijn dat ze hebben besteld. Ze vinden het vlees te taai. 'Als je zo'n onschuldig dier wilt opeten, moet je niet zeuren over de weerstand die het biedt,' zeg ik tegen ze. Later ben ik boven, bij mijn vader, die onder een wit laken ligt en er zelf grijs uitziet. Ik breng hem thee en dep zijn voorhoofd met een washandje. Dan word ik wakker, nog in het donker, en draai van de ene zij op de andere tot het licht wordt.

6

We rijden in mijn auto naar het ziekenhuis. Onderweg vertelt mijn vader dat er een kaartje is gekomen van Pa Mitchell.

'Hij wil dat ik de kist ophaal,' zegt mijn vader.

'Welke kist?'

'Weet je dat niet meer? We hebben hem samen weggebracht.'

Ik wil liever niet aan die dag herinnerd worden, maar mijn vader heeft me gevraagd om hem te komen helpen en ik heb er tot nu toe geen idee van hoe ik dat moet doen. Die kist is in elk geval tastbaar, het ophalen ervan een duidelijke handeling, met een beperkte tijdsduur en een zichtbaar resultaat. 'Ik kan die kist voor je halen.'

'Dat wil ik niet.'

'En dan?'

'Dan gooit hij hem maar weg.'

De rest van de rit kijkt hij uit het raam en zegt niks meer.

Ik blijf aan de kist denken, en dat verbaast me, ik had niet verwacht dat het ding me zo bezig zou houden.

Er is een hele vleugel aan het ziekenhuis gebouwd in mijn afwezigheid, met glazen wanden die de auto's op de parkeerplaats weerspiegelen.

Mijn vader doet het portier aan zijn kant open en wil uitstappen, maar hij is vergeten de gordel los te maken. 'O,' zegt hij en hij blijft zitten.

Ik stap uit en loop om de auto heen, zodat ik hem kan helpen. Hij hangt aan mijn arm om uit zijn stoel te komen en ik schrik als ik voel hoe licht hij is, een stuk lichter dan Victor in elk geval. Eigenlijk weet ik niet of dit iets nieuws is, of dat hij altijd zo weinig heeft gewogen, ik heb hem nooit eerder hoeven ondersteunen. Victor ook niet, maar zijn gewicht heb ik vaak genoeg boven op me gevoeld.

Ik loop met mijn vader mee naar de ingang. Hij heeft mij niet langer nodig om overeind te blijven en neemt grote passen, die zich niet verhouden tot de manier waarop ik hem net uit de auto moest helpen. Zo ziet hij er goed uit. Hij is niet jong meer natuurlijk, maar zijn gezicht heeft kleur, hij houdt zijn rug recht en zijn ogen staan helder.

Vroeger zijn we vaak in dit ziekenhuis geweest, mijn vader en ik. We kwamen er voor Lucinda en ik herinner me de onbestemde dreiging die ik overal in het gebouw voelde. De artsen gebruikten woorden die ik niet begreep, mijn ouders beantwoordden mijn vragen alleen met extra snoepgoed, de hele verzameling van indrukken, abracadabra en vooral geuren waarin ik werd ondergedompeld, kon alleen maar onheil betekenen.

'Ga je mee naar binnen?' vraagt mijn vader als we voor de automatische deuren staan.

Daarachter beginnen de slecht verlichte gangen, met hun half groene, half witte wanden en hun zware deuren.

Ik schud mijn hoofd.

'Je zou me toch helpen?'

'Dat doe ik ook.'

'Je bent er niet voor mij.'

'Ik ben er als de tijd daar is.'

'Ik wil niet alleen.'

'Sommige dingen moet je alleen doen, Alfred.' Ik wacht tot de automatische schuifdeuren zich achter hem gesloten hebben en ga dan in mijn auto zitten. Ik kan niet altijd buiten blijven, dat weet ik ook wel, maar ik moet er nog aan wennen dat ik überhaupt weer op dit eiland ben.

7

Twee dagen voor mijn zevende verjaardag sta ik met mijn va- der in de keuken. Mijn moeder ligt ziek in bed en hij zet in zijn eentje borden voor de dinergasten klaar.

'Mag ik helpen?' vraag ik.

'Het lukt wel.'

Ik ga op een kruk bij de bar zitten en maak een tekening van een octopus met een rood hoofd, zijn tentakels vol bor- den, pannen en flessen. Ondertussen loopt mijn vader af en aan. 'Sorry dat het wat langer duurt,' zegt hij bij elke tafel.

Ik laat hem mijn tekening zien, met het gevoel dat ik te- kortschiet, dat ik wat anders voor hem moet doen dan alleen een tekening maken.

Hij lacht om de octopus, geeft me een nachtzoen en stuurt me naar bed.

Ik kan niet slapen en voel me nutteloos, terwijl ik luister naar de stemmen beneden en zijn snelle voetstappen, tot uit- eindelijk de afwasmachine aangaat en ik hem de trap op hoor komen. Dan pas vallen mijn ogen dicht.

De volgende ochtend doe ik op mijn tenen de deur van hun slaapkamer open en kijk om de hoek. Mijn moeder ligt in bed. Met haar bleke gezicht en haar losse haren doet ze me denken aan een zieke prinses, maar als ik langer kijk, vind ik haar eigenlijk meer het slechte zusje van de prinses, van binnenuit opgevreten door jaloezie en daar zo ziek van geworden dat ze voor altijd in bed moet blijven.

'Ben je al beter?' vraag ik.

'Je moet me niet wakker maken.'

Beneden kruip ik bij mijn vader op schoot, verdrietig om de slechte dingen die ik over mijn moeder heb gedacht.

'Ben je bang dat mama er morgen niet bij is?'

Ik wil van alles zeggen, dat het mijn eigen schuld is als ze niet naar beneden komt, omdat ik zulke slechte dingen over haar heb gedacht, dat ik wil dat zij me ook eens van school komt halen, en andere dingen die ik voel, maar waar ik geen woorden voor kan bedenken. Het is alsof ik zal ontploffen van alle gedachten die in mij zitten en er niet uit kunnen, maar ik durf niks te zeggen.

De rest van de ochtend spelen mijn vader en ik tikkertje bij de zoutpannen, waarbij je van rand naar rand moet springen zonder natte voeten te krijgen, anders ben je af, en ik vergeet alle onzinnige dingen die ik heb gefantaseerd.

We komen tegen de middag terug voor de lunch en we hebben nauwelijks onze handen gewassen, of op het terras zitten al gasten aan vier van de tafels.

'Zal ik vragen wat ze willen drinken?'

'Als je dat kunt onthouden,' zegt mijn vader.

Ik geef alle bestellingen aan hem door en ruim de lege kopjes en glazen weg. Als we klaar zijn, kijk ik in de spiegel op de gang. Mijn wangen zijn net zo rood als de zijne, van inspanning en van blijdschap.

's Avonds ligt mijn moeder nog steeds in bed. Mijn vader hangt slingers op bij de bar en ik vraag hem of mama morgen beter zal zijn. Hij antwoordt dat ze moet uitrusten en dat we er een mooie dag van maken en dat al mijn vriendjes komen.

Ik bijt op mijn lip en zorg dat hij geen tranen ziet. Wie in een restaurant wil werken, moet sterk zijn.

Dan ben ik jarig en mijn vader en ik zijn de tafel aan het dekken voor ons ontbijt, wanneer mijn moeder de trap af komt in een lange jurk. Ik blijf staan en kijk. De jurk is laag uitgesneden en de stof glimt, zodat ze eruitziet als een echte prinses.

Ze doet het speciaal voor mij, anders is ze nooit vroeg op. Ook als ze niet ziek is, slaapt ze uit en ga ik met mijn vader naar de markt.

8

'Ik wil slapen,' zegt mijn vader als we terug zijn van het zie-kenhuis. Het is nog vroeg in de ochtend, maar van de man die een klein uur geleden met krachtige stappen de parkeer-plaats over beende, is weinig meer over.

Ik sla de lakens voor hem terug en help hem om zijn hemd over zijn hoofd te trekken. 'De rest moet je zelf doen.'

'Mijn handen trillen.' Hij steekt ze voor zich uit en ze bib-beren inderdaad.

'Is dat de hele tijd zo?'

'Nee, het duurt meestal maar even.'

Ik maak zijn riem voor hem los, trek snel mijn vingers weg en schud mijn handen, alsof ik de aanraking van ze af kan wapperen. 'Zo. Doe je broek maar omlaag als het trillen voor-bij is.'

Ik trek de deur stevig achter me dicht; als alle deuren in dit huis is hij kromgetrokken en ik wil niet dat hij meteen weer openspringt. Op weg naar de trap passeer ik Daniëls kamer. De deur staat op een kier en even voel ik de aandrang om naar binnen te gaan en te kijken wat de jaren met zijn kamer hebben gedaan, maar ik doe het niet. Ik durf niet eens door de kier te gluren. Ik ben bang voor mijn reactie als blijkt dat mijn vader de kamer heeft leeggehaald en de muren heeft geschilderd, maar net zo goed voor wat het bij me op zal roepen als alles nog zo is als het was toen ik vertrok.

Ik ga naar beneden en bekijk de ansichtkaart die op de bar ligt. Gisteravond heb ik hem gevonden in het rek met glazen. Typisch Victor, hij is een moeilijk man om te ontlopen.

De afbeelding op de kaart is van een van zijn schilderijen. Er staat een lege visserssloep op, die met de boeg hoog op het strand gesleept is. Van Victor heb ik geleerd om beschrijvingen niet op deze manier te beginnen, maar ik vind zijn opvattingen niet meer zo belangrijk.

De eerste keer dat ik over de drempel van zijn atelier stap, is dat heel anders. Ik ben opgewonden en voel me niet mezelf, alsof er een vreemde in mijn schoenen en mijn kleren naar binnen gaat. Ik neem de omgeving in me op, zwijgend en bedachtzaam, als in een grote, lege kerk, en laat mijn ogen uiteindelijk rusten op de drie ezels in het midden van het atelier. Op een ervan staat een leeg doek, dat moet hij voor mij hebben neergezet.

Zelf staat hij ernaast. Ik heb hem één keer eerder gezien, in zijn galerie, tijdens een vakantie op Malta. Daarvan herinner ik me een lange man met een donkere blik, die aanwijzingen gaf aan de verkoopster over welk schilderij waar moest hangen. Nu ik tegenover hem sta, blijkt hij slechts een halve kop groter te zijn dan ik.

'Heb je een pen?' is het eerste wat hij zegt.

Ik schud mijn hoofd.

'Een potlood?'

'Natuurlijk.' Ik pak een zacht potlood uit mijn schouder-tas.

'Ga daar maar zitten.' Met de achterkant van een penseel tikt hij op een stuk boomstam dat bij de ezels in het midden van het atelier staat.

Ik doe wat hij zegt en durf niks te vragen.

Hij geeft me een schrijfblok. 'Beschrijven,' zegt hij. 'Wat je ziet.' Hij wijst naar zijn schilderijen, die de wanden van het atelier vullen.

Ik ga zitten en begin. Een boot, met zijn boeg op het strand gesleept. Andere bootjes in havens, met mannen die visnetten in hun handen houden. Veel sombere portretten van vissers en boeren, die ik lang niet zo mooi vind als zijn andere werk. Ik sla ze over bij het beschrijven, omdat ik me onzeker voel door die stukken. Ik ben bang dat ze een waarde hebben die ik niet herken.

Aan het eind van de dag laat ik hem zien wat ik heb geschreven.

Hij kijkt naar mijn tekst en fronst. 'Neem maar mee en schrijf het thuis netjes over,' zegt hij. 'Morgen zal ik het lezen.'

Het voelt als strafwerk. Op de kamer die Martini voor me heeft geregeld, schrijf ik alles over, zo netjes als ik kan, zodat hij het in elk geval zal moeten bekijken.

De volgende dag leest hij twee pagina's en geeft me het schrijfblok terug. 'Dit is niet wat je ziet.'

'Dat is een visserssloep.' Ik wijs naar een schilderij aan de muur. 'En dat is een haven.'

'Beschrijven, heb ik gevraagd. Niet vertellen. Wat zie je echt?'

'Ik snap het niet.'

'Verf. De afbeelding maak je in je hoofd. Je ziet verf. Alleen maar verf. Beschrijf de verf.'

Ik weet niet waarom hij me niet laat schilderen, of op zijn minst tekenen, maar ik besluit daar en dan dat hij me niet zal wegpesten met zijn opdrachten en probeer zo goed als ik kan de verf in woorden uit te drukken.

Ik veeg het stof van de ansichtkaart. De kleuren komen me tegemoet en ik kan zelfs penseelstreken onderscheiden als ik goed kijk, al is de foto veel vlakker en minder emotioneel dan het schilderij zelf. Ik bestudeer het kaartje en vraag me af of ik het nog net zo mooi vind als toen ik het kocht, maar voor ik klaar ben met die gedachte, gaat mijn telefoon.

Victors naam staat op het scherm. Ik laat het ding overgaan tot het ophoudt en zet daarna het geluid uit. Hij gaat maar naar het atelier, een kop van zijn pikzwarte oploskoffie drinken en kijken naar het doek waar hij mee bezig is. De laatste grote figuren aanbrengen.

En als ik terugkom, kan ik het verder invullen.

Of hij kan details toevoegen aan mijn doek dat nog op de ezel staat, violet waar de zee de horizon raakt of zo, daar houdt hij van.

9

36 Mijn vader slaapt en ik ben naar Pa Mitchell gereden. Nu sta ik voor zijn loods aan de rand van het eiland en ik ben teleurgesteld dat het ding niet meer is dan een samengeraapt bouwsel van goedkope blokken met een houten deur. In mijn herinnering was het een groot, halfrond gebouw van geribbeld staal, met dubbele schuifdeuren. Dit is te banaal.

Tweeëntwintig jaar lang heeft mijn vader haar spullen hier opgeslagen, zo dichtbij dat hij alles binnen een kwartier door zijn vingers had kunnen laten gaan, als hij had gewild. Hij had ze ook weg kunnen gooien.

Aan de rand van het klif staat een oude Peugeot op stenen blokken. De wielen zijn nergens te zien. Pa Mitchell heeft de motorkap omhooggezet en is diep in de muil van de auto gekropen. Het doet me denken aan een afbeelding uit een kinderboek dat mijn vader vroeger voorlas, waarop een tandarts te zien is die de verstandskiezen van een nijlpaard inspecteert. Het loopt niet goed af met die tandarts, hij wordt vermalen tussen de kaken van het nijlpaard, een stuk dat mijn vader keer op keer moest lezen omdat ik het zo spannend vond klinken, vermalen worden, al wist ik niet precies wat het was.

Pa Mitchell wrijft zijn vingers schoon aan een doek en neemt mijn uitgestoken hand aan. Hij heeft duidelijk geen idee wie ik ben en de gedachte bespringt me dat hij ze misschien niet meer allemaal op een rijtje heeft, het zou tenslotte heel makkelijk zijn om hier in een zonderling te veranderen.

'Ik kom de kist halen.'

Hij blijft me aankijken.

'Van Alfred Koster.'

'Jij bent Suzanne. Ik dacht dat je al lang geleden was weggegaan.'

Niemand noemt me nog Suzanne, zelfs mijn vader niet. 'Ik logeer bij Alfred.'

'Met je gezin?'

'Ik ben alleen.'

Een vrouw van mijn leeftijd moet moeder zijn, zeker op Gozo, zeker in de ogen van een oude boer die spullen opslaat en kapotte auto's weer aan de praat krijgt.

Hij kan denken wat hij wil, ik ben hem geen verklaring schuldig, we zijn geen oude vrienden.

Helemaal alleen is hij niet. Van achter de loods verschijnt een jongen van een jaar of zes, op blote voeten en in een vuil T-shirt. Hij rent op me af en blijft vlak voor me staan, handen in zijn zij, ogen nieuwsgierig op mij gericht.

'Niet zo staren,' zei mijn moeder als ik zo naar onze klanten keek, en dan duwde ze me naar achter. 'Ga tekenen.'

Maar hoe kon je tekenen zonder te kijken? Ik vind het helemaal niet vervelend om zijn ogen op me gericht te hebben.

'Wil je hem meenemen?' vraagt Pa Mitchell.

'Pardon?'

'Je vaders kist.'

Ik knik.

'Wie is dat?' vraagt de jongen aan Pa Mitchell.

'Een mevrouw.'

'Mama!' roept de jongen.

Naast de loods staat een zwaarlijvige vrouw in een versleten jurk en met vet haar dat allang geknipt had moeten worden, of op zijn minst gewassen. Ze heeft diepe rimpels, die niet door haar leeftijd kunnen komen, ze is niet ouder dan ik.

Ik voel de aandrang haar te helpen, een reflex die ik lange tijd niet meer heb gehad, en de gedachte dat ik in werkelijkheid niks voor haar zal kunnen doen, maakt me treurig. Voor jezelf zorgen is het laatste bastion. Laat dat gaan, en er blijft niks over.

De jongen stelt zijn vraag opnieuw, dit keer rechtstreeks aan mij: 'Wie ben jij?'

'Suzy. En jij?'

'Salvatore.'

'Hallo, Salvatore. Onze namen beginnen allebei met een S, dat is toevallig.'

'Nee hoor, Suzy begint altijd met een S en Salvatore ook.'

Pa Mitchell heeft zich omgedraaid naar het autowrak en slaat een paar keer met een moersleutel op het motorblok.

Ik stap achteruit en trek de jongen onwillekeurig mee, tot

hij met zijn achterhoofd tegen mijn buik gedrukt staat. Het liefst zou ik door mijn knieën zakken en hem omhelzen, hem beschermen tegen alle gevaren, zoals ik vroeger deed met de uitgeputte vogels die ik van de kust mee naar huis nam en oplapte tot ze weer verder konden vliegen.

De vrouw knikt naar Pa Mitchell. 'Weet je hoelang hij al met deze auto bezig is?'

De oude boer slaat extra hard met de moersleutel op de Peugeot.

'Al jaren,' zegt de vrouw, boven het lawaai van de klappen uit. 'Denk je dat hij ooit nog ergens heen gaat?'

Pa Mitchell richt zich op en slaat met zijn vlakke hand tegen haar wang. 'Ga naar binnen.'

Het was geen harde klap, maar ik ben ervan geschrokken. De vrouw wrijft over haar wang en trekt haar zoon mee. Mijn eerste gedachte is om in mijn auto te stappen en weg te rijden. Maar ik bedenk me als ik naar de oude boer kijk. Hij ziet er allesbehalve dreigend uit en wekt eerder medelijden op, zoals hij uitgeput tegen zijn auto leunt.

Wanneer hij weer op krachten is, sleept hij mijn vaders kist uit de loods, een roodgeverfd, houten ding, dat er veel te klein uitziet. Hij stond op hun slaapkamer, gevuld met lakens. Al dat beddengoed heeft mijn vader weggedaan, samen met hun bed, en sindsdien slaapt hij in een simpel eenpersoonsding.

Gek vond ik dat, een vader die ineens in een kinderbed lag.

Er hangt een slot aan de kist. Ik dacht dat ik me alle details van die ochtend herinnerde, scherper dan de meeste dagen, maar dit slot was ik vergeten.

'Heb je de sleutel?'

'Nee. Misschien je vader.'

Op de grond, naast de auto zonder wielen, ligt de moersleutel. Ik pak hem en ga op mijn knieën voor de kist zitten.

'Wat doe je?'

Met het stuk gereedschap geef ik een tik op het slot en het oude ding springt als een duveltje open. Ik doe het deksel omhoog en zie Lucinda's kleren, slordig door mijn vader in de kist gestopt. Mijn handen laat ik een paar tellen op de kledingstukken liggen. Ik wrijf erover, om zeker te weten dat ze echt zijn, steek dan mijn armen in de kist en voel over de bodem en in alle hoeken. Even twijfel ik of ik het deksel van de kist niet gewoon weer moet sluiten, maar ik doe het uiteindelijk niet.

Ik heb nooit een hekel aan Gozo gehad, althans niet toen ik er woonde, ik was verliefd op de steile rotsen met hun wilde uiterlijk en op de heuvels, zacht en bol als de rondingen van een vruchtbaarheidsgodin. Pas nadat ik vertrokken was, kwam de weerstand.

Ik pak de kleren uit de kist, leg ze op de grond en druk ze plat, op zoek naar iets hards, concreets, een fotoalbum, een videoband, boeken, sieraden, cassettebandjes, wat dan ook.

Ik vind niks, alleen oude kleren.

Ik houd een jurkje omhoog en in de stof zie ik mijn moeder op haar hurken voor me, haar armen gespreid zodat ze me kan omhelzen. Ik voel haar armen om mijn meisjeslichaam en haar warmte tegen mijn lijf, alsof ze me hier en nu vast-houdt. Ik zie haar vanachter, in de serre van het restaurant, schouderbladen naar elkaar toe getrokken, een sterke vrouw die drie borden op haar linkerarm balanceert, terwijl ze met rechts een vierde op tafel zet, mijn moeder zoals ik haar wilde zien, zoals ik me kon voorstellen dat ik zelf ook wilde zijn. Ik zie de jurk om haar benen zwieren, als ze danst voor de bar, jaren later, opgewonden lachend, terwijl mijn vader glazen poetst met een oude doek.

Mijn buik doet zeer, ik heb de hele ochtend niks gegeten, niet eens een kop koffie gedronken.

'Gooi die kist maar weg,' zeg ik tegen Pa Mitchell. Ik raap de kleren op en leg ze op de bijrijdersstoel.

Pa Mitchell blijft wat verloren naast de kist staan, alsof hij niet weet waar hij het ding nu moet laten.

Ik zwaai en rijd weg, naar huis. Zo heb ik het restaurant lang niet meer genoemd, geen enkele plek zelfs. Op Malta heb ik het over de galerie of het atelier, hier op Gozo over het restaurant.

Nooit heb ik het over thuis.

10

42   Op een zondagochtend, een paar dagen na mijn zevende verjaardag, zit ik met de acrylverf die ik heb gekregen aan een
tafel in het restaurant. Deze verf is heel anders dan waterverf
en natuurlijk anders dan potloden. De kleuren zijn in één
keer helemaal dicht, het papier schijnt er niet doorheen en het
is bijna klei, zo dik, je kunt stukken overeind laten staan, of er
in elk geval dikke bulten en klodders mee maken. Je ziet de
penseelstreken in deze verf. Je kunt hem ook verdunnen met
water, maar ik weet nog niet precies hoeveel je erbij moet
doen om de verf zo dun of dik te krijgen als ik wil, en nu is het
een grote kliederboel geworden op de tafel.

De traptreden kraken en dat betekent dat iemand naar beneden komt. Ik weet niet wie van de twee het beste zou zijn,
meestal is mijn moeder strenger, of in elk geval bozer, maar
nu het om het restaurant gaat, weet ik niet wat ik van mijn vader moet verwachten. Het enige wat ik kan bedenken is om
zo snel mogelijk de tafel schoon te maken. Maar waarmee?
Mijn T-shirt heeft geen lange mouwen en ik heb hier ook geen

doekje. Ik had natuurlijk een oude krant moeten pakken voor ik begon. Zonder erover na te denken, neem ik een hoek van het tafelkleed, dat ik heb teruggeslagen toen ik begon met verven. De kleedjes zijn groen met geel, veel zul je er niet op zien.

Ik ben nog druk aan het boenen als mijn vader voor me staat. Nu zul je het krijgen.

'Waar is je moeder?' Hij kijkt boos, maar blijkbaar heeft mijn moeder iets gedaan waardoor hij nu geen tijd heeft om zich druk te maken over mijn geknoei.

Ik leg het papier vol klodders en natte plekken op de grond en trek snel het tafelkleed recht, voor hij er alsnog iets van zegt.

'Heb je haar niet gezien?'

Ik schud mijn hoofd en neem mijn verfspullen mee naar mijn kamer. Beneden slaat de serredeur dicht en dan hoor ik mijn vaders stem op het terras: 'Lucinda! Lucinda!'

Ik loop naar hun kamer, nieuwsgierig, met de gedachte dat ik haar misschien daar ga vinden. Ze heeft zich in elk geval niet onder het bed verstopt en ook niet in de lakenkist, de twee plekken waar ik me zou verstoppen. Ik kijk eens goed rond en zie dat alleen in mijn vaders kussen een deuk zit en dat mijn moeders kussen mooi bol opgeschud is.

Op mijn kamer doe ik het raam open en leun naar buiten. Mijn vader staat nog steeds op het terras, met zijn handen in zijn zij, zoals mijn juf dat ook doet als je straf krijgt. 'Hier is ze niet,' roep ik, met een vreugde in mijn stem die ik niet verwacht had.

Met de lunch is mijn moeder nog niet terug. Mijn vader en ik doen alles met zijn tweeën. Dat hebben we vaker gedaan, maar als mijn moeder in bed ligt, is het toch anders. Ik begin het eng te vinden dat ze er niet is. Ze kan best voor zichzelf zorgen, maar mijn vader heeft al twee keer een bord laten vallen en hij kijkt ook niet meer boos, eerder heel serieus.

Als alle gasten weg zijn, begint hij te bellen. Eerst naar Martini. Dan naar een andere vriend. Dan nog een nummer. 'Dag, mevrouw Wilson,' zegt hij.

Ik wil onder tafel kruipen als ik hem die naam hoor zeggen. Dat is Alessandra's moeder en nu gaat hij tegen haar zeggen dat mijn moeder kwijt is en dat zal ik horen, op school, niet alleen morgen, maar de hele week of zelfs nog langer.

'Pap, niks zeggen!' roep ik, maar hij draait zijn rug naar me toe en vraagt precies waar ik bang voor was.

'Hebt u Lucinda gezien?'

Even is het stil aan onze kant van de lijn en dan zegt hij: 'Nee, sinds gistermiddag.'

Alessandra's moeder zegt iets en ik stel me voor hoe Alessandra naast haar staat, bij het truttige tafeltje in de woonkamer met hun telefoon op een kanten kleedje. Zij hoort daar gewoon alles.

'Die hebben we nog niet ingeschakeld. Ik hoop dat het niet nodig zal zijn.'

Weer een stilte waarin Alessandra met haar nieuwsgierige betweteroortjes staat te luistervinken. 'Dank u, dat hopen wij ook.'

Hij belt verder, Cathy's moeder, onze juf, de moeder van

Dominic en uiteindelijk zelfs de vader van Dominic.

Ik loop stampvoetend de trap op, terwijl hij al aan het volgende telefoongesprek begonnen is, zijn wijsvinger in zijn oor gepropt zodat hij mij niet hoort. Op mijn kamer kruip ik in bed en trek de deken helemaal over me heen, zodat het pikdonker is in mijn hol.

Na een tijdje komt mijn vader me halen. Hij gaat op mijn bed zitten en pelt voorzichtig de deken een stuk terug. 'Wees niet bezorgd, schatje,' zegt hij. 'Ik vind het ook spannend, maar je moeder komt echt terug.'

Hoe kon je de moeders van mijn vriendinnen bellen, wil ik tegen hem zeggen, maar dat lijkt me niet goed. Hij is een lieve vader, maar er is een hele wereld waar hij niets van snapt.

'De eerste dinergasten komen zo,' zegt hij. 'Help je mee?'

Ik serveer de borden één voor één, ze zijn zwaar en ik moet het voorzichtig doen. De klanten geven me complimenten. 'Grote meid,' zeggen ze, en: 'Wat help jij je vader goed.' Ik ben trots en het kan me niet meer schelen wat Alessandra morgen zal zeggen. Mijn vader noemt me de hele avond 'Suzy' in plaats van 'schat' of 'lieverd'. Zo mag mijn moeder wegblijven, we kunnen dit heel goed samen en nu ziet mijn vader eindelijk dat ik niet alleen een klein meisje ben, maar dat ik echt in ons restaurant kan werken.

Als alle klanten weg zijn is het donker. Er staat een grote berg afwas in de keuken en ik wil mijn moeder heel graag een kus geven voor ik ga slapen. Ik wil haar vertellen hoe goed ik in het restaurant heb geholpen.

Ik hoor de deur. Het is niet mijn moeder, het is Martini, die op mijn vader afstapt en zegt: 'Laten we gaan zoeken.'

Dan kijken ze allebei naar mij.

'Jij moet slapen, Suzy.'

'Ik wil niet slapen.' Het is laat, maar ik ga niet in mijn eentje hier in bed liggen.

'Ik ga wel alleen,' zegt Martini. 'Dan blijf jij hier met je dochter. Het is beter dat er iemand is als ze ineens terugkomt.'

'Jij moet ook zoeken, papa. Ik slaap wel in de auto.'

We gaan met zijn drieën naar buiten.

'Ik laat de deur van het slot, voor het geval dat,' zegt mijn vader.

Martini rijdt in zijn jeep naar het oosten, wij gaan richting zoutpannen. Voor we daar zijn, slaap ik al.

Mijn vader maakt me wakker als we bij de westkust aankomen.

'Waarom is mama hier?' vraag ik.

'Ik weet niet of ze hier is, schat. Ze kwam hier vroeger graag, omdat de rotsen op deze plek zo hoog zijn.'

Aan mijn vaders hand strompel ik over de grillige bodem. Ik heb het gevoel dat ik een last voor hem ben en wil niet tegen hem zeggen dat ik slaap heb.

In plaats van 'Suzy', is hij me weer 'schat' gaan noemen. Hij tilt me op en roept nog een paar keer mijn moeders naam.

'Ik breng je terug, dit kan zo niet,' zegt hij en ik zeg niks, ik wil graag naar mijn eigen bed.

Martini wacht op ons in de serre. Mijn vader zet me op een

stoel en ik probeer wakker te blijven, maar zit te knikkebollen en leg uiteindelijk mijn hoofd op mijn armen op de tafel naast me.

'In bed,' hoor ik Martini zeggen. 'Ze is doodop.'

'Is mijn mama dood?' Ik ben zo moe dat ik niet echt kan bedenken wat dat betekent.

'Nee, schat, ze ligt boven in bed. Ik ga jou zo ook instoppen.'

'Ik heb haar in de grot gevonden.'

'Bij Ramla Bay?'

'Precies. Waarvan elke toeristenfolder tegenwoordig beweert dat Odysseus erin gevangen heeft gezeten.'

Zat mijn moeder gevangen? Daarom was ze niet bij mij, anders had ze me nooit alleen gelaten.

'Er was geen touw aan vast te knopen,' zegt Martini, en ik probeer te bedenken wat er met dat touw was, of mijn moeder vastgebonden zat, of dat Martini haar daarmee juist uit die grot heeft gehaald. Dan voel ik mijn vaders armen onder mijn knieën en schouders en ik leun tegen zijn borst terwijl hij mij de trap op tilt.

'Morgen slaap je lekker uit,' zegt hij. 'Geen school voor jou.'

Daar ben ik heel blij om en als ik onder mijn deken lig is alles weer goed, mijn vader en moeder zijn er allebei en mijn moeder ligt in de kamer naast me. Niemand is gevangen of dood. En Alessandra hoef ik morgen niet onder ogen te komen.

11

48 Ik parkeer in het zand naast de serre. De bestelauto staat er niet en ik ben blij dat ik het huis voor mezelf heb.

In mijn oude kamer laat ik Lucinda's kleren op het bed vallen. Ze zien er vreemd uit in dit domein dat altijd exclusief van mij is geweest, alsof een vijandelijk leger een invasie heeft uitgevoerd. Uit de bult kleren steekt als een triomfantelijke vlag de polkadotjurk die ze vaak droeg, met gestifte lippen en open schoenen.

Ik loop naar de badkamer en schuif de spiegel boven de wasbak uit zijn steunen. Zelf heb ik nooit een grote spiegel gehad en mijn vader heeft die van hem en Lucinda vernietigd, een beter woord is er niet voor wat hij ermee gedaan heeft, hij heeft de scherven op de vloer nog fijngestampt, op zijn plastic strandslippers nota bene.

De spiegel zet ik op een stoel onder mijn slaapkamerraam. Ik trek al mijn kleren uit, ga in de deuropening staan en kijk naar een blote vrouw zonder hoofd en voeten. Mijn borsten beginnen te hangen. Ik til ze op. Echt zwaar zijn ze niet. Ik wrijf over mijn buik en tussen mijn dijen en denk aan Victors handen. Onwillekeurig schiet me zijn eerste aanraking te binnen, hoe hij zijn hand op de mijne legde om de houding van het penseel te verbeteren. Dat is een eeuwigheid geleden. Hij hoeft het al lang niet meer te doen, ik weet zelf precies hoe ik het wil.

Drie weken lang laat hij mij schrijven in het atelier.

Mijn tekenpotlood is al snel op en ik koop een hard schrijf-potlood. Terwijl ik schrijf, voel ik zijn ogen in mijn rug branden, een bedrieglijke sensatie, want hij kijkt helemaal niet naar mij, maar gaat volledig op in het doek waar hij mee bezig is. Mijn beschrijvingen worden steeds korter en volgens Victor steeds beter, omdat ik de essentie dichter benader. Ik heb geen idee wat die essentie volgens hem is, ik schrijf gewoon zo min mogelijk op, omdat elk woord een kans voor hem is om kritiek te hebben.

Op een middag, als hij een aantal schilderijen naar zijn galerie brengt, begin ik te tekenen op het gelinieerde papier, gewoon omdat mijn handen iets anders willen vormen dan alleen letters. Eerst teken ik een van zijn schilderijen na, met vissersboten aan een steiger. Daarna maak ik zelf een compositie met sloep en strand. Dan een haven. Victors hoofd. De zee, waarin ik verschillende dieptes suggereer met lichte en donkere vlekken, niet eenvoudig met het harde potlood.

Ik werk geconcentreerd en hoor hem niet binnenkomen.

Hij staat ineens voor me, neemt het blok uit mijn handen en bekijkt mijn tekeningen. 'Dit heb ik je niet gevraagd,' zegt hij en hij werpt het blok achter zich in een hoek. 'Als je van mij wilt leren schilderen, doe je het op mijn manier.'

Ik sla hem in zijn gezicht. Dezelfde avond neem ik de bus naar de haven, met wangen die gloeien alsof ik degene ben die een klap heeft gekregen. De laatste boot is al weg en ik ga op de betonnen kade zitten, mijn voeten bungelend boven het water. In het donker vertel ik mezelf dat ik alles kan schilderen wat ik wil en dat ik Victor daar niet voor nodig heb. Uiteindelijk gaat het alleen maar over verf.

Vlak voor zonsopkomst arriveert de eerste boot van de nieuwe dag, kort daarop gevolgd door de eerste bus. Met geopende laadklep en schuifdeuren lijken de voertuigen op elkaar te wachten in de schemer, twee stalen dieren die klaarliggen om de mensen te verslinden die zich tussen hen in hebben gewaagd.

De zon verschijnt boven Malta en nu het licht wordt, zie ik Gozo als een zwarte monoliet uit het water steken, en voordat alles wat in dat zwart verborgen zit, helder verlicht wordt, draai ik me om. De eerste bus is inmiddels vertrokken en ik ga op het bankje bij de halte zitten, met mijn rug naar de zee, terwijl ik wacht tot de volgende komt.

Die dag in de haven is de laatste keer dat ik Gozo heb gezien, tot nu. De enige uitzondering was een keer door het raampje van een vliegtuig, toen Victor en ik op een heldere dag naar Parijs vlogen. Gozo zag er van boven uit als een kinderfantasie, een eilandje van zand en groene wol dat met wat lijm naast een modelspoorbaan is gebouwd.

Ik pak Lucinda's jurk van het bed. Hij glijdt gemakkelijk over mijn armen en hoofd, maar om er echt in te komen en hem om mijn lichaam te krijgen, moet ik wat bewegen met mijn schouders. Verder omlaag blijft de rok op mijn billen hangen. Ik trek hem eroverheen, maak de rits onder mijn arm dicht en pluk aan de stof om mijn middel en bij mijn kont.

Bij Lucinda zat deze jurk strak over haar borsten gespannen, maar bij mij lijkt het lijfje een slecht opgezette tent. Ik trek de jurk uit, doe mijn beha weer aan en probeer het nog eens, maar het haalt niks uit, ook in hun houder duwen mijn borsten hulpeloos tegen de stof en vullen de jurk bij lange na niet. Mijn taille wel, de stof spant om mijn buik en in mijn zij en ik heb me nooit gestoord aan dat vet, het is ook niet veel, maar in deze jurk is alles te veel, net als mijn billen, die plooien in de stof trekken bij mijn heupen. Ik word boos op mezelf. Wat dacht ik nou?

Ik ga beneden achter de bar staan, op de plek waar zij aan het begin van de avond altijd stond, en pak een longdrinkglas uit het rek. Toen Lucinda hier nog was, stonden de flessen drank achter haar, tegen de spiegel. Ik heb uren naar de kleuren van het glas en de etiketten zitten staren, een mozaïek dat ze bij elke fles die eraan werd toegevoegd, opnieuw arrangeerde, tot afgrijzen van mijn vader, die de whisky bij de whisky wilde en de gin bij de gin.

Die flessen heeft hij later allemaal zelf leeggedronken en daarna keken de mensen aan de toog alleen nog naar hun spiegelbeeld, als er al iemand op een van de krukken zat.

Onder de bar, naast de whisky, staat een fles Blue Curaçao. Ik giet het longdrinkglas halfvol en neem een flinke
slok, terwijl ik bedenk dat ik nog steeds niks heb gegeten. De
alcohol opent zich in mijn hoofd als de paddenstoelenwolk
op een oud filmpje van een kernproef, geluidloos, zwart-wit.
Ik laat de rest van de drank staan en zoek iets eetbaars in de
keuken. Er is niet veel wat ik nu zou willen eten, alleen
brood van gisteravond. Ik scheur een stuk af en doe het een
paar tellen in de magnetron. Al kauwend loop ik de gang
weer in en leun tegen de deurpost.

Ik hoor de motor van de bestelauto. Voor ik erover uit ben
of ik wil dat hij me in deze jurk ziet, stapt mijn vader de serre
in.

Halverwege blijft hij staan, starend naar mij, alsof hij niet
tegelijkertijd kan lopen en kijken. 'Wat heb jij nou aan?'

'Niks.'

'Hoe kom je daaraan?' Hij komt bij me staan en trekt een
pak papieren servetten dat op de bar ligt naar zich toe,
scheurt de verpakking los en begint te vouwen. Hij slaat de
servetten open, vouwt ze diagonaal en dan nog een keer
dubbel. Zo heeft hij driehoeken in plaats van vierkanten.

'Ik wilde je alleen helpen.'

'Die kleren wil ik niet meer zien.'

'Ze was mijn moeder.'

'Zij is de laatste aan wie ik nu herinnerd wil worden.' Met
een zwaai van zijn arm schuift hij de stapel servetten van de
bar.

'Je bent een egoïst.'

Hij draait zich om en loopt de trap op. Ik kijk hem na en kauw rustig op de rest van mijn brood.

12

54   De ochtend nadat Martini haar heeft teruggebracht, kruip ik
bij mijn moeder onder de deken en sla mijn armen om haar
heen.

Ze merkt er niks van, ze is in een diepe slaap.

Ik blijf thuis van school, maar herinner me weinig van wat
ik die dag doe. Alleen mijn vaders zenuwachtige gedrag staat
me helder voor de geest, hij loopt de hele tijd heen en weer.
Dat doet hij op andere dagen ook, maar dan gaat hij in elk geval ergens naartoe, een hamer pakken om een plank vast te
spijkeren, naar de keuken met de vaatjes peper en zout om ze
bij te vullen. Nu komt hij steeds met lege handen langs, of met
een theedoek over zijn schouders, en vraagt dan aan mij waar
de theedoek is.

De volgende dag kom ik voor het eerst in mijn leven te laat
op school. Ik geef mijn vader een kus en ren het plein op. Het
ruikt vandaag anders, zoeter, de lucht is niet meer zo fris.
De wind is ook niet meer koud, zoals hij een aantal dagen geleden nog was, maar warm. Volgens de juf komt hij uit de

Sahara, een grote woestijn aan de andere kant van de zee, in Afrika. Ik wil nooit naar Afrika, want het is daar ontzettend heet en dan kun je verbranden. Ik maak me zorgen over deze wind en deze warmte. Misschien gaan we hier straks ook verbranden.

Dominic staat bij de deur met een voetbal in zijn handen. 'Vind je hem niet mooi?' vraagt hij. 'Voor mijn verjaardag gekregen.'

'Ben jij ook te laat?'

Dominic komt bijna nooit op tijd. Hij is de enige uit onze klas die ook aan het tafeltje bij de juf heeft gezeten. 'Ik wilde jou mijn bal laten zien,' zegt hij.

We rennen samen naar binnen. De juf kijkt ons niet aan als we de klas binnenkomen. Ze zegt niks, ze wordt niet boos, maar ze laat ons de hele tijd bij de deur staan, terwijl iedereen in de klas stil leest.

'Leg de boekjes maar weg.'

Het heeft lang geduurd tot ze dat zegt. Nu kijkt iedereen naar ons en ik zie dat ze dingen tegen elkaar fluisteren.

'Dominic, je mag de bal aan mij geven.'

Onbevreesd stapt hij op de juf af en duwt de bal in haar handen.

'Je kunt hier blijven staan, bij mijn tafel.'

Ik moet ook blijven staan en twee kinderen uit de klas brengen onze sommenboekjes. Alessandra kijkt me aan alsof ze medelijden met me heeft, maar ik kan zien dat ze het terecht vindt.

'Ik heb maar één tafeltje hier,' zegt de juf tegen Dominic en mij, 'dus jullie moeten allebei staand je sommen maken. Met je rug naar de klas, zodat ik goed kan zien wat jullie opschrijven.'

Na de sommen mogen we eindelijk op onze plek gaan zitten.

'Jouw mama kan niet voor je zorgen,' zegt Alessandra tegen mij.

'Ze kan wel voor me zorgen.'

'Een goede moeder loopt niet bij haar kind weg, zegt mijn mama.'

'Ze was niet weggelopen, ze was gevangengenomen. Daar kon zij niks aan doen.'

'Mijn mama loopt alleen bij me weg als ik heel stout ben. Dan gaat ze naar de woonkamer en moet ik in de keuken blijven.'

'Wij hebben geen woonkamer.'

'Suzanne! Nu is het stil.'

We gaan tekenen. Gelukkig, want ik weet zeker dat mijn tekening veel mooier wordt dan die van Alessandra en dat de juf dat ook vindt, al zal ze dat vandaag niet zeggen.

Als de school uitgaat, is Dominic als eerste buiten. Hij staat onder aan de trap voor de ingang. De andere jongens trappen een oude plastic bal over het plein, tot hun moeders komen.

Dominic geeft een harde trap tegen zijn glimmende bal, hij komt helemaal tot de muur van het schoolplein.

Ik ren achter de bal aan en raap hem op. Het voelt lekker in mijn handen, de gladde stukken leer en het dikke garen waarmee ze aan elkaar genaaid zijn.

'Niet met je handen aan de bal! Het is voetbal. Meisje.'

Ik schop het ding terug en hij krijgt hem tegen zijn arm. 'Hands!' roep ik.

Hij schopt de bal weer naar mij en we staan met zijn tweeën over te trappen, terwijl de andere kinderen al weg zijn.

Pas na een tijd krijg ik door dat mijn vader bij de muur staat. 'Ga maar verder,' zegt hij, 'jullie doen het goed.'

'Doei,' roep ik tegen Dominic en ik klim over de muur, wat natuurlijk niet mag van onze juf, maar dat interesseert me niet.

13

58 Alessandra wil niet meer met mij praten en Cathy ook niet. Dat komt door Dominic. Ik ben nu het stoute meisje dat bij het stoute jongetje hoort.

In de pauzes ga ik naar buiten en loop achter Cathy en Alessandra aan, naar het bankje onder de boom. Ik blijf twee stappen bij ze vandaan, op respectvolle afstand, tot ik mijn tijd heb uitgezeten.

Mijn kans is daar als Alessandra naar een stel vechtende jongens aan de andere kant van het schoolplein wijst, waar Dominic er een van is.

'Dominic is stout,' zegt ze.

'En stom,' zegt Cathy.

'En dik. Dominic is dik.' Ik weet dat ik dit moet zeggen, maar het brengt me meer in de war dan ik had gedacht.

'Hallo, Suzy,' zegt Alessandra, alsof ze me nu pas ziet. Nadat zij heeft gesproken, kijkt Cathy me ook aan.

'Willen jullie mijn moeders film zien? Het is een grote-mensenfilm.' Ik weet dat ze thuis alleen naar kinderprogramma's mogen kijken, maar Alessandra's zussen zijn ouder en mogen wel grotemensentelevisie zien als zij al in bed ligt.

'Televisie voor grote mensen is stom,' zegt Alessandra.

'Ik wil die film wel zien,' zegt Cathy.

'We kunnen alleen het stukje met mijn moeder kijken. Dan kunnen jullie zien hoe mooi ze is op tv.'

Mijn moeder geeft ons limonade, die Cathy en ik in één teug opdrinken.

Alleen Alessandra doet een eeuwigheid over haar glas.

'Schiet nou op.'

'Laat je vriendinnetje.'

'Maar we willen je film kijken en we mogen geen glazen mee naar boven nemen.'

'Mijn film? Waarom?'

'Ik wil aan Cathy en Alessandra laten zien hoe mooi je bent.'

'Ik vind u zo ook mooi,' zegt Alessandra.

'Op tv is het veel echter.'

Mijn moeder moet om mijn woorden lachen, maar ze gaat wel mee naar boven.

Cathy en Alessandra gaan op mijn ouders bed zitten, tegenover de televisie. De videoband is allang een keer door mij naar het juiste punt gespoeld en vooraan in de kast gelegd, zodat alles klaar zou zijn voor dit moment.

Ik stop de band in de videorecorder. 'Ze komt zo, als dit stukje voorbij is.'

Mijn moeder kijkt naar het scherm met haar mond in een strakke streep en haar handen in haar zij, zoals ze ook kijkt als ze mijn vader en mij tafels ziet dekken in de serre, rusteloos en tegelijkertijd niet in staat om te helpen.

Op de televisie loopt ze het beeld binnen. 'Hij heeft me de mond gesnoerd,' zegt ze, als ze zichzelf ziet.

Ik sla er geen acht op, ik wil dit moment niet verstoren.

Mijn moeder kijkt weg van het scherm vóór de dertig seconden van haar scène voorbij zijn. Ik denk dat ze het saai vindt, omdat ze die scène al zo vaak heeft gezien.

Als Cathy en Alessandra naar huis zijn, vraag ik aan mijn vader wat mijn moeder bedoelde met haar opmerking. Hij vertelt dat er nog een scène met haar gefilmd is, waarin een man op de boulevard haar aanspreekt en zij zijn avances afwijst. Martini heeft die scène eruit geknipt.

Ik vind het verdrietig voor mijn moeder dat haar stem niet in de film te horen is. We oefenen op school ook voor toneelstukken en liedjes die we op het podium uitvoeren, en hoewel ik er zelf niet van houd om dat te doen, snap ik dat het voor haar belangrijk is, net als voor Alessandra en sommige andere kinderen in onze klas. Ik zou haar willen troosten, maar ik weet niet wat ik moet zeggen, ik voel me alsof er iets is zoekgeraakt waarvan we niet wisten dat het er was, zoals ik me ook vaak voel op de achterbank van de auto als we terugkomen van Malta en ik uitkijk over zee.

Die avond kruip ik na het eten bij mijn moeder op schoot. Ik klem mijn armen om haar hals en druk haar dicht tegen me

aan, tot ze zich losmaakt uit mijn omhelzing en mijn vader
helpt met het afruimen van de tafel.

14

62 Het beeld dat ik heb van Lucinda's uiterlijk, is het beeld uit die film. Als ik aan haar denk op andere momenten, op andere plekken, zie ik flarden bewegend haar, opwaaiende kleding en delen gezicht, een trek om een mond, een oogopslag. Alleen de wandelende vrouw op de boulevard zie ik volledig en haarscherp voor me.

Mijn vader slaapt weer. Het boodschappen doen vanochtend heeft hem uitgeput.

Nu zijn er gasten voor de lunch. Ze zitten op het terras, man, vrouw, twee meisjes, allemaal groot en blond. Het is nog vroeg in het seizoen en ik zou denken dat die twee meiden op school moeten zijn, maar misschien hebben ze ergens in Scandinavië dit jaar vroeg vakantie.

Ik zoek een scherp mes met kartels voor de tomaten en open alle lades in de keuken. Mijn vader heeft ze anders ingedeeld en me daar niks over verteld. Zo wordt het lastig om twee salades te maken. Pas als ik in alle lades heb gekeken, zie ik het messenblok in een hoek op het aanrecht. Dat hadden we vroeger niet, een messenblok.

Ze hebben hun cola light en koffie ongetwijfeld allang op en ik ben nog niet klaar met de salades. Er moet brood bij natuurlijk, dat heeft mijn vader vanochtend gehaald, maar waar staat het? In de keuken zie ik het nergens. Ik loop naar het terras om te zeggen dat het wat langer duurt. Vroeger bestelden mensen niet zulke bewerkelijke dingen voor de lunch. Soep, vlees, eieren. Veel minder snijden en minder extra handelingen zoals garneren met stukjes tomaat en komkommer en blokjes schapenkaas. Zelfs sesamzaadjes moeten er nu bij, geroosterd.

De man kijkt naar de zee, waar aan de horizon een vrachtvaarder voorbijschuift. Het schip vaart traag. Ze zullen hun lunch ophebben voordat het uit het zicht is, zelfs als ik er nog lang over doe.

Doet hij iets in de scheepvaart, dat hij zo kijkt?

De moeder en de twee meiden kletsen in een taal die vaag als mijn moedertaal klinkt, maar die ik niet versta. Hun glazen zijn leeg.

'De salades komen zo. Wilt u nog iets drinken? Dat krijgt u van mij, voor het wachten.' Ik heb geen zin in kritiek of teleurgestelde blikken, dus ik probeer ze voor te zijn.

De man schudt zijn hoofd. 'Ik heb alleen honger,' zegt hij. 'Is die salade wel groot?'

'Zeker. En u krijgt er brood bij.'

De vrouwen willen nog een cola light en ik snap eerlijk gezegd niet dat ze zo snel twee van die glazen achter elkaar kunnen drinken. De meisjes misschien nog wel, maar hun moeder? Ze had ook witte wijn kunnen nemen.

Als ik weer naar binnen loop, realiseer ik me dat mijn vader met lege handen de serre in kwam vanochtend. Ik wil niet weer over het terras, en ga via de binnenplaats naar de bestelauto. Achterin staat een kartonnen doos met onder andere stokbroden en komkommers. Ik neem hem mee en maak binnen de salades af, die er in mijn ogen vreemd uit blijven zien, met vooral veel komkommer, maar de gasten vinden ze lekker, althans, dat zeggen ze.

De meiden drenken hun salade in de teriyakisaus die ik in de koelkast heb gevonden. Volgens de kaart hoort die erbij.

Als de gasten weg zijn, kleed ik me om. Lucinda's jurk mik ik met de rest van haar kleren in een hoek.

Mijn vader slaapt nog steeds en ik sluip zijn kamer binnen en ga op het voeteneind van zijn bed zitten.

Dit is wat er over is en straks is er helemaal niks meer. Ik kijk naar zijn opgekrulde lichaam onder het laken en vraag me af wat hij er zelf van denkt. De gebruikelijke vragen, of het de moeite waard is geweest, of hij ergens spijt van heeft. Dat laatste zou me verbazen, hij is altijd op het irritante af goedgemutst geweest.

'Word wakker,' zeg ik, terwijl ik zijn been heen en weer beweeg. Hij slaapt diep, ik moet stevig schudden voor hij zijn ogen opent.

Leunend op zijn ellebogen duwt hij zijn bovenlichaam omhoog. 'Hoe laat is het?' Hij kijkt naast zich, alsof hij daar een

Maak ook kennis met deze prachtige romans

Marie de Meester — De stille van Thé

DWDD-BOEKENTIP
'Dit boek
heeft mij
volledig
ingepakt.
Prachtig!'

Marie de Meester
De stille van Thé

'Heel aangrijpend en
realistisch. Dit boek
heeft mij volledig
ingepakt.'
— DWDD Boekenpanel

Een indringend en meeslepend verhaal
over een dochter die haar moeder nooit
heeft gekend.

TRAVIS MULHAUSER — IN DE KOU

TRAVIS
MULHAUSER
roman
IN DE
KOU

'Mulhauser
beschrijft het
barre landschap
beeldend en
schildert de mores
van een geïsoleer-
de gemeenschap
overtuigend af.'
— Publishers Weekly

Een beeldend geschreven coming-of-age-
verhaal gesitueerd in het besneeuwde
Michigan.

Maak ook kennis met deze prachtige romans

'Onze ouders hadden Van Kooten en De Bie voor de verrijking van de Nederlandse taal, wij hebben Lanen.'
— De Correspondent

Naamloos is een ode aan de liefde. Een rauwe, eerlijke en humoristische roman over een dertiger op zoek naar zichzelf.

Sprankelende en verrassende debuutroman van multitalent Carly Wijs

Het twijfelexperiment is een hoogst originele en grimmige roman die draait om de vraag wat normaal is en wat niet.

wekker verwacht, maar er staat niet eens een nachtkastje en een wekker heeft hij nooit gehad.

'Hoe was het?'

'Wat?' Hij pakt het glas water dat naast zijn bed op de vloer staat en neemt een slok. Zijn handen trillen niet meer.

'Vroeger.'

'Ik heb niks te vertellen wat je niet al weet.'

'Ik was een kind. Ik wil weten hoe het echt was.'

Hij slaat de deken van zich af en staat op. Zijn rimpelige penis hangt voor mijn gezicht en zijn schaamhaar is net zo grijs als zijn hoofdhaar.

Ik krijg het koud bij de aanblik van het vel dat los om zijn benen hangt.

'Heb je niks te doen?' zegt hij.

Ik loop zijn kamer uit en laat de deur open. Halverwege de gang draai ik me om. 'Van wie ga ik straks horen hoe het was?'

'Je was er zelf bij.'

Hij probeert de deur dicht te slaan, maar het slot pakt niet goed en de deur valt weer open. Zoals hij daar staat, omlijst door de deuropening, lijkt hij zo'n uitgemergelde Jezus van El Greco, maar dan zonder houten kruis.

15

66 Ik rijd richting Victoria. Hoofdstad is een vreemde benaming voor een plaats die slechts negenduizend inwoners telt. Wanneer zou ik me voor het eerst gerealiseerd hebben dat een stad iets heel anders is? In de lessen aardrijkskunde leerden we over Londen en Rome, maar dat waren verhalen en plaatjes. De eerste echte stad die ik rook, die ik hoorde, is mijn huidige woonplaats, Valletta. En die stad op Malta is niks vergeleken bij Parijs.

Onderweg passeer ik een stuk of wat glasblazerijen en niet voor het eerst bedenk ik hoe wonderlijk het is dat ze kunnen bestaan van een handvol toeristen. Ook vandaag staan er maar twee auto's op de parkeerplaats. Een kilometer of twee verder rijd ik eindelijk Victoria in. De weg wordt smaller en bochtiger, slingert tussen gebouwen door die er al eeuwen staan. Het frustreert me hoe kort de afstanden hier zijn in kilometers maar hoe lang in tijd, alsof dit eiland me opzettelijk tegenwerkt door te zorgen dat je nergens door kunt rijden.

Aan de telefoon vertelde Cathy me dat Alessandra een zoontje heeft gekregen. Ze zei erbij dat er vast een kaartje naar me onderweg was en dat we elkaar misschien zelfs gekruist hebben, dat kaartje in een postzak op weg naar Malta en ik op de boot hiernaartoe. Blijkbaar vond ze dat een fascinerende gedachte, want ze hield er niet over op.

Het kan niet eens, er is maar één boot en die vaart heen en weer, daar kunnen het kaartje en ik nooit tegelijkertijd op hebben gezeten.

Ik sla af en even later sta ik voor Cathy's deur. Toen ze hier net woonde, kwam ik er vaak, maar op het laatst was het bedrukkend geworden om hier aan te bellen, elke keer als ik op haar stoep stond en de deur openging, was het alsof ik in een poel stilstaand, stinkend water stapte.

'Suzy, het is veel te lang geleden.' Cathy spreidt haar armen en ik laat me omhelzen. Over haar schouder zie ik haar nieuwe chihuahua door de gang rennen, langs de rij schoenen en laarzen die slordig in het gelid tegen de muur staan, een beetje zoals ik me een Grieks leger voorstel.

Het beest springt tegen Cathy's been en zij bukt zich en aait hem over zijn bol. 'Lulu, Lulu,' zegt ze, en ze maakt er klakkende babygeluiden bij met haar tong. 'Is ze niet schattig?'

Ik zak op mijn hurken en kijk Lulu aan. 'Je bent dus een meisje.'

'Zeker, mannetjes piesen alles onder. Bij honden kun je tenminste kiezen wat je krijgt.'

Volgens mij is het alleen bij katten zo dat de mannetjes overal in huis plassen en niet bij honden, die doen dat buiten.

We gaan in de woonkamer op de rode bank zitten. Hij is meer verschoten dan ik me herinner, terwijl hier toch niet veel zonlicht komt, er zijn alleen ramen aan de straatzijde, twee stuks, en die zijn niet groot en liggen bovendien op het noorden.

Lulu rent naar de bank en springt ertegenaan.

Cathy tilt haar met één hand op. 'Ze komt zelf niet op de bank, hij is te hoog. Wil jij haar even?' Ze zet het hondje op mijn schoot.

Ik streel het dier over haar rug en voel haar lichaampje trillen. 'Ze is uitgeput van die paar meter rennen.'

'Nee, dat geluid maakt ze altijd. Dat komt door hoe ze gefokt zijn.' Cathy staat op en loopt naar de keuken.

Waarom willen mensen een dier fokken dat niet normaal kan ademen?

'Heb je al een idee?' vraag ik.

'Ik heb zelfs al een cadeau gekocht.'

Ik ga liggen, met Lulu op mijn buik. Met gestrekte benen pas ik maar net tussen de leuningen. Op het dressoir staat de foto die Martini van ons drieën heeft gemaakt op de rotsen achter zijn huis, na afloop van ons filmproject. Hier is helemaal niks veranderd.

Cathy zet een kop thee op de salontafel. 'Even aankleden,' zegt ze, en ze verdwijnt in de slaapkamer.

De thee laat ik staan. Zonder aan andere dingen te denken, aai ik Lulu over haar rug. Ze lijkt nu rustiger te ademen en duwt haar kopje tegen mijn buik. Ik geniet van de warmte van een ander lichaam tegen het mijne, zelfs al is het maar het lijfje van een kleine hond.

Als Cathy klaar is, rijden we naar Alessandra, met een in blauw papier verpakt rompertje. Cathy heeft het uitgezocht, het is ook blauw en er staat een kaart van Gozo op. Geen goed begin van een leven, vind ik, er had beter een wereldkaart op kunnen staan.

'Hoe is het met Victor?' vraagt Cathy.

'Goed.'

'Maakt hij nog steeds zulke mooie schilderijen?'

'Ik raak op ze uitgekeken.' In de spiegel zie ik Cathy's ogen groter worden, als van een gulzig kind dat een taart ziet. Dit soort vragen stel ik haar niet, of ze een vriend heeft, of ze zelfs maar verliefd is. Compassie, heb ik altijd tegen mezelf gezegd, maar als ik eerlijk ben, is het eerder desinteresse. 'Ze verkopen nog heel goed, hoor.' Ik hoop dat het thema daarmee afgekapt is. 'De mijne verkopen ook goed trouwens.'

'Verkoop je ook je eigen schilderijen in zijn galerie?'

'Zelfs met mijn naam erop tegenwoordig.' Ik vertel haar niet dat ze de helft opbrengen van die van Victor, terwijl ze beter zijn. Mensen zijn blind.

'En wanneer krijgen jullie kinderen?'

Ik kijk in alle spiegels en over mijn schouder, alsof er veel verkeer is en we moeten afslaan.

Cathy laat zich er niet door van de wijs brengen. 'Jullie zijn al tien jaar samen.'

'Victor zou nooit voor een kind kunnen zorgen.'

'Hij zou een bijzondere vader zijn.'

'Hij zou geen vader zijn. Ons kind zou op een ezel moeten staan om zijn aandacht te krijgen.'

De laatste kilometers leggen we zwijgend af, Cathy wijst me alleen waar we de hoofdweg moeten verlaten. We rijden Alessandra's straat in en stoppen voor een vrijstaand huis, in traditionele stijl gebouwd, maar helemaal nieuw. De tuin is nog kaal en op de oprit passen zeker drie auto's.

Alessandra ziet er moe en tegelijkertijd voldaan uit. Met zijn drieën hangen we boven een wieg waar een onmogelijk klein mens in ligt, ogen dicht, armen omhoog naast zijn hoofd. Zijn handen komen nauwelijks voorbij zijn schedeldak.

Het doet pijn om naar hem te kijken, ik moet me bedwingen om niet te huilen als ik denk aan alles wat hij nog gaat beleven en aan alle liefde die hij zal krijgen. Dat zal veel zijn, Alessandra staat klaar om stromen over hem uit te storten, ik zie het opwellen in haar ogen, alsof haar lichaam nu al te klein is om het allemaal binnen te houden. Gelukkig voor hem.

Hij zal verlaten worden. Dingen die hij wil maken, zullen mislukken. Hij zal alles meemaken wat wij allemaal meemaken en op dit moment lijkt dat me verschrikkelijk, maar tegelijkertijd ben ik opgetogen en zou ik er zo graag voor willen zorgen dat bij hem alles makkelijker en pijnlozer gaat dan bij ons. En hij is niet eens van mij, hij is van Alessandra.

'Als hij straks wakker is, mogen jullie hem even vasthouden.'

Ik zie Cathy stralen bij het idee, maar als ik probeer te bedenken of ik het zelf ook wil, komen er alleen gedachten boven aan mijn vaders keuken en de borden die ik moet uitserveren aan de gasten. 'Ik moet gaan,' zeg ik. 'Alfred helpen met de voorbereidingen voor het diner.'

'Ik vind het vreselijk voor je, Suzy. Wens je vader sterkte.'

'Dank je.' De formulering is een lege vorm, ik weet helemaal niet waarvoor ik haar bedank.

'Is Alfred's Bistro nog open?'

'Hij kan niet de hele dag in bed liggen. Zolang het gaat, blijven we open.'

'Ik wacht nog even tot de kleine wakker wordt,' zegt Cathy.

Terug bij het restaurant, zie ik vanuit de keuken licht de gang in schijnen. Ik hoor mijn vader het koksmes neerleggen op het stalen werkblad. Hij maakt zijn handen vrij om mijn aandacht te ontvangen, maar ik ga niet naar hem toe.

'Zeggen we geen hallo meer?' roept hij, als hij mijn voetstappen op de trap hoort.

Op de overloop hoor ik onder mij het mes met gelijkmatige, harde tikken op het snijblok neerkomen. Hij snijdt wortels, dat moet je krachtig doen.

Ik duw tegen de deur van Daniëls kamer en onwillekeurig zet ik me schrap voor de kikker die elk moment over de drempel kan springen, op zijn hurken in een groene pyjama, of de tijger die om de hoek staat en grommend, met ontblote tanden, zijn kleine klauwen naar mij kromt. Maar er gebeurt niks, ik zie alleen een lege kamer. Het bed is niet opgemaakt en het valt me op hoe groot het is voor zo'n kleine jongen. We deden niet aan kinderbedden, alleen een wiegje voor de eerste maanden.

Op het bed ligt een bezem waarvan de steel halverwege is afgebroken en een stuk koperen waterleidingbuis. Waarom bewaart mijn vader die rotzooi?

Er staat een doos met duplo bij het voeteneind. Daniël speelde daarmee in de serre.

Ik zie hem voor me, kleine, vierkante blokken één voor één op elkaar stapelend, tot hij een toren heeft die net zo hoog is als hij zelf. Bovenop zet hij het halfronde gele blok met de ogen aan de zijkant, dat nu boven de rand van de doos uitsteekt. Dan mept hij de toren om. Daar moet hij ontzettend hard om lachen en ik lach met hem mee, verscholen achter de bar.

Ik kijk graag naar hem. Er is geen woonkamer waar hij met die duplo kan spelen, dit is de enige plek waar hij de ruimte heeft, midden in het restaurant. Ik dacht eerst dat het niet zou mogen, alles moet tenslotte weer opgeruimd zijn voor er gasten komen, maar het tegendeel is waar.

Mijn vader kruipt zelf op zijn buik over de grond om de stukken te verzamelen die onder de tafels terecht zijn gekomen en hij geeft ze aan Daniël, zodat die een nieuwe toren kan bouwen. 'Ik til je op,' zegt hij, 'dan kunnen we misschien wel tot het dak.'

Ik ga op de rand van het bed zitten. Of het door deze ruimte komt, of omdat ik de hele dag heen en weer heb gereden, weet ik niet, maar ik ben moe. Ik duw de kapotte bezem en het stuk waterleiding aan de kant, ga op mijn zij liggen en trek mijn benen op. Niet meer aan de duplo denken. Ik doe mijn ogen dicht. Het ruikt hier fris, alsof het in deze kamer nog ochtend is, terwijl buiten de zon de dag al heeft aangetast, hij loopt tegen zijn einde en je weet dat hij nooit meer vers zal zijn, dat je niet terug kunt naar het begin.

16

74 Het is mijn taak om hem in de middagpauze mee te nemen
naar huis, wanneer in het restaurant net de eerste gasten voor
de lunch arriveren.

De kleuterklassen komen naar buiten. Ik blijf het raar vinden om die kleine kinderen in hun uniformen te zien, al dragen alle kinderen op Gozo en Malta ze. Zelf had ik in de kleu-
terklas ook een schoolpolo en -rok aan en ik herinner me niet
dat ik dat vervelend vond. Maar bij Daniël lijkt het net alsof
hij zichzelf niet meer is, of beter gezegd, alsof hij gekrompen
is, er minder van hem over is. Ik word er somber van, terwijl
hij het goed naar zijn zin lijkt te hebben. Hij is ook beslist niet
de kleinste van de klas, en daar ben ik blij om, want de anderen zijn met zoveel.

'Daniël.'

Hij hoort me niet.

Een jongen naast hem zegt iets, maar zoals kleine kinderen
kunnen doen, draait hij zich zonder te reageren om en begint
met iemand anders te praten, een meisje met bolle wangen en

korte vlechtjes. Normaal trekken de kleintjes zich weinig aan van dit soort onbeleefd gedrag, ze doen het allemaal, maar deze jongen trekt Daniël aan zijn mouw en als die niet omkijkt, geeft hij hem een duw.

Daniël reageert niet, maar draait alleen zijn schouder weg. De jongen druipt af en het meisje met de vlechtjes vertelt iets waar Daniël naar blijft luisteren.

Om hem heen lopen allemaal kinderen in uniformen en moeders en een enkele vader, maar die zie ik allemaal niet meer, ik let alleen op hem, alsof ik door een tunnel kijk en tegelijkertijd door dezelfde tunnel naar hem toe loop.

Er zit nog zeker vijf meter tussen ons als de jongen met een vriendje terugkomt.

'Pas op, Daniël,' roep ik.

Ze duwen hem achterover en hij valt op de grond.

Ik ren naar hem toe en de jongens, die mij zien aanstormen, rennen weg. Ik besteed geen aandacht aan ze, ik wil alleen Daniël troosten.

Hij zit huilend op de grond en probeert naar zijn ellebogen te kijken.

Ik zak naast hem op mijn knieën en trek hem tegen mijn borst. 'Waar doet het pijn?'

'Hier.' Hij houdt zijn armen omhoog met zijn ellebogen naar voren. Ze bloeden allebei.

Er zitten steentjes in en gruis, ik zal die jongens nog wel krijgen. Eerst lik ik het bloed weg.

Daniël gilt.

'Ik doe je geen pijn, ik moet het schoonmaken.' Ik zuig op

zijn elleboog en duw met de punt van mijn tong voorzichtig de steentjes eruit.

Hij wordt rustiger. In mijn mond heb ik een stuk of drie kleine kiezeltjes en ik spuug ze tussen mijn lippen door uit, als schoten van een pistool. 'Kijk, ik schiet steentjes.' Daar moet hij om lachen en hij laat me gewillig zijn andere elleboog schoonzuigen.

'Zullen we er maar een pleister op doen?' De hoofdmeester zit op zijn hurken naast ons. Wat moeizaam duwt hij zich overeind. Zijn knie knakt luid en hij zegt tegen Daniël: 'Dat is mijn pinokkiobeen. Van hout gemaakt. Wil jij een mooie kinderpleister uitzoeken?'

'Twee!' Daniël pakt zijn hand.

Ik volg ze naar binnen. De smaak van zijn bloed proef ik nog, het smaakt als het staal van de koksmessen, die ik niet in mijn mond hoor te stoppen, maar die mijn vader zelf ook regelmatig tussen zijn tanden klemt als hij iets moet pakken.

Binnen haalt de hoofdmeester een pak pleisters uit een blikken trommel met een groot, rood kruis erop. De trommel zou zo uit een speelgoedambulance kunnen komen en er zitten pleisters in met pinguïns, olifanten, koalaberen en geiten die met al hun poten op de punt van een rots balanceren, alsof ze er elk moment vanaf kunnen vallen.

Daniël kiest pinguïns, op elke elleboog één.

Ik kijk in de spiegel die tegen de zijwand hangt, vlak achter de deur. Ze kunnen me niet zien, maar ik zie mezelf wel, ik zie hoe groot ik ben en hoe sterk en dat ik Daniël beter had moeten beschermen.

17

Mijn vader staat in de serre, met op zijn nek een knalroze 77 plastic kreeft.

Waar die voor dient, weet ik heel goed, maar dat hij hem nog gebruikt, verbaast me. Ik herinner me dat we hem samen opgehaald hebben, in Victoria. Het was net uit met mijn eerste vriend en aan die relatie had ik het idee overgehouden dat mannen onbegrijpelijke wezens zijn, niet complex, heel simpel eigenlijk, maar totaal onvoorspelbaar, zoals ik me voorstelde dat kinderen zouden zijn. Dat mijn vader een tweedehands polyester kreeft kocht, bevestigde mijn idee alleen maar.

Terwijl hij het ding achter in de bestelauto propte, zat ik voorin en staarde naar de overkant van de weg, waar op een getinte winkelruit 'Refalo's' geschilderd was. Verder stond er niks en ik beeldde me in wat Refalo zou verkopen of maken, juwelen of ijzerwaren of kantoorartikelen. Ik bedacht dat ik veel liever achter zo'n donkere ruit wilde werken, dan in het volle zicht op ons terras.

Inmiddels is hij op een tafel geklommen en probeert hij op de tast het oog op de rug van de kreeft om de haak aan het plafond te schuiven.

Ik kan me moeilijk voorstellen dat hij dit al die jaren wekelijks is blijven doen, al ziet de kreeft er goed uit, hij glimt alsof hij net in de autowas is gezet. Dat hij elk moment lijkt te kunnen vallen met dat wiebelende ding op zijn rug maakt me ongerust. Ik loop naar hem toe, ga naast de tafel staan en spreid mijn armen om hem op te vangen, al zal hij te zwaar voor me zijn, zeker met die kreeft erbij.

'Dat hoeft niet,' zegt hij, met vaste stem ondanks de inspanning.

Ik zet een stap achteruit, maar blijf bang dat dit slecht zal aflopen.

'Doe je dit voor mij?'

'Ik doe dit elke week.' Eindelijk krijgt hij de kreeft aan de haak. Hij stapt op de grond, gaat aan een tafel zitten en kijkt naar de bungelende kreeft. 'Vrijdagavond, kreeftenavond. Dat weet je toch?'

Ik geloof er niks van.

'Ik ga nog even rusten,' zegt hij.

'Wat wil je dat hier straks mee gebeurt?'

'Die kreeft?'

'Nee. Je restaurant.'

Met opengesperde ogen kijkt hij me aan. 'Daar begin je nu over?'

'We moeten toch iets plannen?'

'Je doet maar.' Hij drukt vier paracetamols uit een strip die voor hem op tafel ligt en spoelt ze weg met een glas water.

'Moet je niks sterkers hebben?'

'Er komt een groep Duitsers. Wil jij de tafels bij elkaar zetten?' Hij staat op en gaat naar boven.

Als hij weg is, schuif ik een aantal tafels naar het midden van de serre, zodat we een grote stamtafel hebben voor de groep. Hij is nog steeds goed in dealtjes sluiten met touroperators.

In de keuken liggen de kreeften die hij vanochtend samen met het brood gehaald heeft. Ze zijn al dood, maar ik stop ze toch in de watertank, een soort aquarium op pootjes, dat ik naar de serre rol. De kreeften deinen mee met de beweging van het water en zakken naar de bodem als de tank op zijn plek staat.

Ze hebben de touwen nog om hun scharen.

18

80   Mijn vader maakt grappen met de bejaarde Duitsers. Hij ziet er fris uit en heeft plezier.

Ik kan het niet helpen, ik ga ervan glimlachen en voel me thuis, achter deze bar met mijn glas Blue Curaçao, meer dan ik me in jaren ergens thuis heb gevoeld.

De gedachte maakt me bang, hoe kan deze plek nog als thuis voelen? Ik moet straks weer afscheid nemen en krijg het benauwd nu ik merk wat het werkelijk met me doet om hier te zijn, om in dit schemerlicht te staan, gehuld in het verdovende geroezemoes van de gasten. Het is alsof ik word teruggezogen en vastgehouden door mijn lichaam, meegenomen door de sensatie van het verleden op deze plek, alsof mijn vlees en bloed willen zeggen dat ze hier horen.

Ik haal een paar keer diep adem, maar het lucht niet op, ik voel me steeds verder wegzakken.

Een man stapt naar binnen, alleen, in een patserig wit jasje. Hij gaat aan een tafel vlak bij de deur zitten en kijkt verwonderd naar de babbelende bejaarden. Dan ontdekt hij de kreeft aan het plafond en trekt zijn wenkbrauwen op.

Ik vraag me af of hij zich zal bedenken, het zou me in elk geval niks verbazen als hij nu op zou staan en zou vertrekken. Maar hij blijft en kijkt mijn kant op, hij schat in dat hij niet op mijn vader hoeft te rekenen om bediend te worden.

Hij doet me aan Victor denken, al is hij jonger, mijn leeftijd. Het zal door de lege tafel komen. Man alleen, wachtend op eten. Ik had Victor gevraagd of ik iets voor hem moest achterlaten in de vriezer, maar hij had zijn hoofd geschud. 'Ik maak wel wat,' had hij gezegd, terwijl hij knikte naar de gasbrander op de werkbank, die hij gebruikt om water voor zijn koffie te koken. Waarschijnlijk prakt hij nu aardappelen boven die brander, in een blikken pannetje.

Eigenlijk heb ik geen zin om op te staan en met de nieuwe gast te spreken. Ik hoop dat hij zich alsnog bedenkt, als ik maar lang genoeg op mijn kruk blijf zitten, tot het zo bevreemdend wordt dat hij wil vluchten. Maar het beeld van Victor in ons atelier laat me niet los en het maakt me te onrustig om stil te blijven zitten. Ik sta op, duw mijn borsten naar voren en loop naar de man in het wit.

'Ik wil graag iets eten,' zegt hij, als ik naast hem sta.

'We hebben kreeft.'

Hij kijkt bedenkelijk achter me langs, naar de groep.

'Of vis.'

'Wat voor?'

'Vangst van de dag.'

'Lijkt me heerlijk. En een fles wijn.'

Uit de koeling haal ik de duurste fles witte wijn die ik kan vinden.

'Alsjeblieft. De vis komt er zo aan.'

'Ik zie ernaar uit.'

In de keuken verdrink ik een zeebaars in olie en witte wijn en laat hem een paar minuten garen. Bakje groenten in de magnetron, dille over de vis, nootmuskaat over de groente, het gaat alweer bijna automatisch.

'Kom bij me zitten,' zegt hij, als ik de vis voor hem neerzet. 'Ik eet niet graag alleen.'

'Je hebt niemand meegenomen. Dan ben je alleen.'

'Hoe heet je?'

'Suzy.'

'Ga zitten, Suzy.'

'Bied je mij niks te drinken aan?'

'Neem een glas.'

'Ik heb liever wat anders.'

'Neem wat je wilt.'

Ik pak de duurste fles rode wijn die mijn vader heeft en ga tegenover de man aan het tafeltje zitten.

'Proost.' Ik neem een slok en leun achterover, sla mijn benen over elkaar en kijk hoe hij zijn vork op de flank van de vis plaatst en het vlees van de graat schuift. Hij steekt een stukje zeebaars in zijn mond en kauwt, terwijl ik in zijn ogen kijk. Ze verraden een zachte natuur, ondanks zijn uitdagende blik.

De Duitsers willen een dessert, maar mijn vader kan niet meer. Hij hangt tegen de bar, met afgezakte oogleden en een grijze huid.

Ik sta op en loop naar hem toe.

'Ga naar bed,' zeg ik. 'Ik doe de rest wel.'

Hij zwaait naar de gasten en verheft zijn stem voor een 'auf Wiedersehen' voordat hij de trap op gaat.

'Nur Eis,' zeg ik tegen de groep. Ze maken een toer langs kerken op Malta en Gozo. Daar hebben we er meer dan genoeg van op deze eilanden.

Als iedereen klaar is, reken ik af en laat de gasten uit. De man van de vis gaat als laatste.

'Drink je die fles wel leeg?' zegt hij.

'Maak je geen zorgen.'

Ik draai de deur achter hem op slot en ruim af. De lege frisdrankflesjes van de Duitsers verzamel ik, vier in elke hand, en ik loop ermee naar het krat op het binnenplaatsje, bij de boom.

Hij staat hier al zolang als ik me kan herinneren, maar ondanks de vele jaren om te groeien, is het een iel ding gebleven, met nauwelijks blad. Hij staat hier ook totaal verloren, in een gat in het beton, tussen de kratten en afvalbakken.

Ik streel over zijn bast en het vliegt me naar de keel.

Binnen doe ik de lichten uit. De fles rode wijn neem ik mee naar boven, samen met een glas. Niet over mijn vader dromen vannacht, neem ik me voor. Ik steek mijn hoofd bij hem om de deur en zie hem onschuldig onder zijn dekbed liggen, net een klein kind met zijn ontspannen gezicht en zachte gesnurk.

19

84   Cathy heeft een muziekdoos, een kleine blauwe met een ballerina die rondjes draait op één been, op de punt van haar voet.

Ik ben jaloers op het doosje, zowel op Cathy, die het bezit, als op de ballerina, die zo moeiteloos danst. De muziek neemt langzaam in tempo af en dan gaat de ballerina ook langzamer, maar niet geleidelijk, ze stokt af en toe omdat het mechanisme niet meer strak genoeg is opgewonden. Ik word er verdrietig van, alsof haar betovering weg is en ze niet langer uit vrije wil, maar gedwongen haar rondjes danst.

Als het danseresje bijna stilstaat, pak ik het doosje uit Cathy's hand.

'Hé!'

'Anders stopt ze.' Ik draai het mechanisme op en zet het doosje tussen ons in. Zodra ik het heb losgelaten, grijpt Cathy het en zet het op de tafel achter haar. Nu kan ik de danseres niet meer zien, daarvoor is het te donker.

'Ik wil ook zo'n doosje.'

'Moet je aan je moeder vragen. Die van mij heeft het voor mijn verjaardag gekocht. Al heel lang geleden, hoor. Eigenlijk is het een ding voor kleine meisjes.'

We zitten op twee matrassen in Cathy's slaapkamer, allebei in ons nachthemd. Er brandt alleen een kleine leeslamp.

Cathy's vader heeft de matrassen voor ons neergelegd. Hij keek naar het bed, stak de uiteinden van zijn das in zijn overhemd, en tilde met zijn sterke armen haar matras zo eruit.

Nu komt hij zeggen dat het tijd is om te slapen. Hij staat in de deuropening met het licht uit de woonkamer op zijn schouders. Van mij mag hij daar de hele nacht blijven staan, maar Cathy wil dat hij de deur dichtdoet.

We doen de leeslamp uit en trekken de dekens over ons heen.

'Welterusten,' zegt Cathy.

Ik zie dat ze haar ogen sluit. Zelf durf ik dat nog niet. Ontelbare malen moet ik in haar kamer gespeeld hebben, maar altijd overdag en nu ziet hij er heel anders uit. Natuurlijk niet helemaal, het bed is hetzelfde en de tafel ook, maar ik zie dingen die ik in het daglicht nooit heb gezien. Boven haar bed hangt een mobile en de schaduw die hij op het plafond werpt, lijkt op een vleermuis, met puntige vleugels opgetrokken naast zijn kop.

Ik draai mijn hoofd zo ver mogelijk naar achter en probeer op de tafel te kijken of het danseresje er nog staat, maar al zijn mijn ogen nu aan het donker gewend, het lukt nog steeds niet om haar te zien. Als ik nog één keer naar haar zou kunnen kijken, dan kon ik vast in slaap vallen. Ik weet zeker dat als ik nu mijn ogen dichtdoe, de vleermuis zal komen, met opengesperde bek en scherpe tanden.

Ik kijk naar Cathy. Al is ze een stuk ouder dan Daniël, ze ziet er net zo zacht uit als ze slaapt en ik zou wel naast haar willen kruipen, maar ik blijf op mijn eigen matras liggen. Bij Daniël kijk ik ook alleen maar, als ik hem aan zou raken, zou hij misschien wakker worden en dan zou alles weg zijn.

Het is goed om naar Cathy te kijken, maar ik durf nog steeds niet in slaap te vallen. Ik probeer mijn ogen te sluiten, ik knijp ze zelfs extra hard dicht omdat ik tranen voel. Hoe hard ik ook knijp, het helpt niet en ik begin te snikken.

Cathy doet haar ogen open.

'Ik mis Daniël,' zeg ik, voordat ze de kans krijgt om te vragen wat er is. 'Ik wil naar hem toe.' Proberen me te beheersen heeft geen zin meer, ik ben alle controle kwijt en wat maakt het uit, ik wil alleen naar Daniël terug, hij is mijn veilige engel, hij is mijn thuis.

Cathy's vader komt de kamer binnen en tilt me op. 'Even de omgeving veranderen,' zegt hij. Hij zet me in de woonkamer op de rode bank.

Ik vind die bank mooi, wij hebben alleen bruine tafels en stoelen, we hebben zelfs helemaal geen bank en we hebben ook niks roods in ons restaurant wat er zo uitspringt en de omgeving aankleedt.

Ik streel over de armleuning en kijk naar de televisie, een programma met pratende mensen. Cathy's vader zit naast me, met beide einden van zijn das nog steeds in zijn overhemd gestoken. Ik zit te vol met water en heb te weinig lucht om erover na te denken waarom hij dat ding nog om heeft, hij is al lang terug van zijn werk. Eigenlijk heeft hij altijd een das om als ik hem zie, bedenk ik.

De mensen op tv boeien me niet vanavond. Normaal volg ik wat ze zeggen, ik wil kunnen praten over de dingen waar volwassenen met mijn vader over praten, zoals welke ideeën onze ministers hebben en of die stom zijn, en over de nieuwe kade die voor de boot moet worden aangelegd. Maar nu begin ik weer te huilen, stil en in elkaar gedoken op de bank.

Cathy's vader aait me over mijn hoofd, legt een vest over mijn schouders en draagt me naar zijn auto. Als ik zie dat we naar huis rijden, voel ik me beter. Ik kijk uit het raam en wacht tot ik weer bij Daniël ben.

20

88 Ik ga rechtop zitten, klem mijn armen om mijn borst en probeer in het streepje maanlicht te onderscheiden waar ik ben.
In mijn droom was ik thuis, bij Victor, een beschamende
droom, waar ik onpasselijk van word nu ik wakker genoeg
ben om hem van buitenaf te bekijken. Er brandde één spot in
het atelier, waar Victor in stond. Ik kroop op handen en voeten naar hem toe en probeerde zijn broek los te knopen.
'Maak een kind bij me,' zei ik, en ik bleef het herhalen terwijl
mijn vingers aan zijn gulp friemelden.

Hij hield zijn hand op de gesp van zijn riem en duwde met
zijn voet een emmer vol sop om, zodat ik op mijn knieën in
een grote plas water zat. 'Schrob dan, verdomme,' zei hij en
hij liep het atelier uit.

Hoe de droom verder ging en of ik daadwerkelijk ging
schrobben, weet ik niet.

Het is mijn oude eenpersoonsbed waar ik in lig, niet het
grote bed onder de twee schuine ramen waarin ik normaal
wakker word, boeken en bureaulamp naast me op de vloer.

In deze kamer wijst niets op leven, behalve de open fles wijn op tafel en het lege glas ernaast. Gisteren werd ik ook wakker voor het licht was, en vond ik de omgeving niet bevreemdend, maar toen waren mijn gedachten bij mijn vader, niet bij mezelf.

Ik voel me niet thuis in deze kamer, in tegenstelling tot wat ik gisteravond achter de bar ervoer. Hier heb ik de sensatie dat het huis mij afstoot, dat het me naar buiten wil drukken. Deze afwijzing stelt me op de een of andere manier gerust, ze maakt van deze kamer een schuilkelder om me te beschermen tegen alles wat me terug wil trekken.

Ik stap uit bed en ril in mijn klamme slaapshirt. Ik vul het lege glas tot de rand met wijn, in de hoop dat ik zo nog wat zal kunnen slapen, ik heb geen zin om mezelf de hele dag voort te slepen en kortaangebonden te zijn tegen mijn vader. Dan had ik beter niet kunnen komen.

Met het glas in mijn hand, loop ik naar het raam. Bijna glijd ik uit over een bloes van Lucinda, die is losgeraakt uit de bult kleren in de hoek van de kamer. Ik open het raam en kijk over het terras naar zee, wat ik vroeger ook deed als ik niet kon slapen. Ik zie in het donker mijn moeders gebogen rug, zoals ik haar vaak heb gezien, in haar eentje met een kleine lantaarn naast zich op tafel, starend naar het water terwijl mijn vader allang slaapt. Ik laat haar nooit merken dat ik haar zie. Ik zou wel naar beneden willen gaan om naast haar te zitten, samen over het water te kijken en te praten of te knuffelen tot de slaap weer komt, maar ze ziet er altijd zo verdrietig uit dat ik niet durf.

Ik zit graag bij Daniël. Zijn deur staat 's nachts op een kier en ik wurm mezelf zijwaarts door de opening, zodat hij niet wakker wordt van de piepende scharnieren. Ik kniel naast zijn bed en wacht tot mijn ogen genoeg zijn gewend aan het duister om te zien welke wang boven ligt. Zodra ik zijn gezicht kan onderscheiden, buig ik me voorover om hem te kussen. Ik ruik hem voordat mijn lippen zijn huid raken en snuif zijn geur op, sluit mijn eigen ogen en houd mijn adem in. Het is volledig stil, het gesnurk van mijn vader is opgelost in de achtergrond en zelfs het gelijkmatige ruisen van de zee, dat juist 's nachts zeer aanwezig is, lijkt verdwenen. Pas als ik me opricht, hoor ik het water weer.

Wanneer ik Daniël in zijn slaap kus, kreunt hij tevreden en beweegt wat met zijn schouders. Ik blijf als een schildwacht naast zijn bed zitten. Ik weet dat hij alleen mij heeft, ik zal hem moeten beschermen, zijn leven hangt van mij af en al zijn bewegingen, zijn geluiden, zijn geur, lijken gemaakt om mij dat te doen beseffen. Zijn zachte huid en zijn diepe slaap, meer nog dan zijn huilen als hij pijn heeft, wekken in mijn borst een onbevattelijk groot verlangen om voor hem te gaan staan, en alles tegen te houden wat hem pijn kan doen.

Ik drink de wijn op. In het oosten wordt de hemel licht en ik weet dat ik niet meer in slaap zal vallen. Ik ga naar de badkamer en neem twee paracetamols. Na het douchen droog ik me stevig af, tot mijn huid gloeit. Ik kijk in de spiegel en overweeg eyeliner op te doen of oogschaduw, maar dat zal mijn wallen niet verhullen en bovendien heb ik er geen zin in. Dit is wat het is.

Mijn vaders deur staat open en ik zie dat hij nog in bed ligt. Ik moet eraan wennen dat hij zoveel slaapt. Hij was altijd vroeg op en de hele dag bezig, vaak met dingen waarvan ik het nut niet inzag, zoals het hervouwen van de servetten en het steeds opnieuw arrangeren van tafels en stoelen op het terras.

Ik trek een zomerjurk aan die ik in mijn oude kast vind en merk tot mijn genoegen dat hij nergens te strak zit. Opgetogen ga ik naar beneden, maar mijn goede stemming verdwijnt als ik door het restaurant loop en me afvraag wat ik zou kunnen doen vandaag. Normaal gesproken heb ik altijd zin om te schilderen, maar sinds ik hier ben, is de lust me vergaan en nu voel ik me onthand, zonder mijn vaste antwoord op verloren stukken tijd als deze.

Na een poos komt mijn vader de trap af. Hij heeft zich aangekleed, broek, T-shirt, slippers. Ik wist niet eens dat hij een T-shirt bezat, ik ken hem alleen in zijn wapperende hemden. Maar zo hoeft hij geen knopen los of vast te doen.

'Moet je vandaag weer naar het ziekenhuis?' vraag ik hem.

'Waarom? Ze zullen me niks anders vertellen.'

'Geen controle of zo?'

Hij schudt zijn hoofd en rommelt onder de bar. 'Hebben we nog paracetamol?'

'In de badkamer. Ik haal het wel.'

'Dat kan ik zelf.'

Ik loop snel naar de trap, zodat ik hem voor ben. Boven pak ik de paracetamol en Lucinda's kleren.

Als ik weer beneden kom, staat hij nog steeds bij de bar.

'Heb je al dat spul meegenomen?' zegt hij.

'Het gaat weg.'

'Maar nu leg je ze hier?'

Ik deponeer de kleren op de ronde tafel. 'Je paracetamol.' Ik houd het doosje voor me uit.

Voordat hij het aanneemt aarzelt hij even, alsof ik een vreemde man met een snoepje ben en hij nog moet bepalen of hij me vertrouwt.

'Ik wil ze niet zien,' zegt hij. 'Waarom heb je het allemaal opgerakeld?'

'Ik wil die schilderijen hier ook niet zien.'

'Je kunt toch niet altijd boos blijven?'

'Jij ook niet.'

'Ik ben niet boos.' Hij draait zich om. 'Ik ga dood,' zegt hij, terwijl hij naar de keuken loopt.

Ik doe alsof ik hem niet gehoord heb.

Als ik iets zou eten, zou ik me vast beter voelen, maar mijn maag draait zich om bij de gedachte aan vast voedsel. Ik wil eerst van die kleren af. Mijn autosleutels liggen op de bar, naast mijn telefoon, en ik heb geen zin om ze te pakken. Ongetwijfeld heb ik een lijst gemiste oproepen van Victor. Thuis kan hij me dagen achtereen negeren, maar als ik weg ben, laat hij me niet met rust, alsof hij met zijn berichten zijn aanwezigheid wil vervangen. Hij probeert mijn bewegingsruimte klein te houden.

De man die hier gisteren was, klopt op het glas van de

serre. Hij lacht overdreven naar me, alsof we dikke vrienden zijn. Misschien wil hij laten zien dat hij niks kwaads in de zin heeft.

Ik haal de deur van het slot en open hem op een kier. 'We zijn nog gesloten.'

'Ik heb de wereld over voor een kop koffie.'

'Dat is veel.' Ik laat hem binnen en wijs naar een stoel. 'Het water moet nog warm worden.'

'Rico.'

'Pardon?'

'Zo heet ik. Ik kreeg gisteren niet de kans om me voor te stellen.'

'Dan had je langer moeten blijven.'

'Heb je die wijn nog opgedronken?'

'Waar zie je me voor aan?' Ik vul het filter en zet twee koppen koffie. In de keuken hoor ik water stromen, maar er volgen geen voetstappen op de gang. Blijkbaar heeft mijn vader geen zin in gezelschap.

'Wat gaan we doen?'

'We?'

'Jullie zijn toch gesloten? Kun je me niet wat van het eiland laten zien?'

Hij klinkt net zo vastberaden als Victor, die altijd aanneemt dat zijn ideeën ook de mijne zijn. Maar deze man stelt mij in elk geval nog een vraag. Zelfs over ons werk vraagt Victor nooit iets aan mij. Terwijl ik weet dat de zonsondergangen waarin rood overheerst, beter verkopen dan die met oranje. Gewoon een kwestie van tellen. Victor doet maar wat. Toch blijft het zijn naam waardoor we ons geld verdienen.

Ik loop naar de keuken om mijn vader gedag te zeggen. Hij zit op een lage kruk en hangt met zijn hoofd in zijn handen op het aanrecht, alsof hij nu al moe is van de dag. Hij moet zich inspannen om mij aan te kijken. 'Ben je terug voor de lunch?' vraagt hij zo zacht dat ik het nauwelijks versta.

'Tot straks,' zeg ik. In de serre pak ik Lucinda's kleren.

'Wat ga je daarmee doen?' vraagt Rico.

'Niks.' Ik loop voor hem uit naar buiten. Naast mijn auto staat een open sportwagen. 'Is die van jou?'

'Ja. Wil je erin rijden? Sturen, bedoel ik?'

'Nee, dank je. Ik ben de gids, jij de chauffeur.' Ik prop Lucinda's kleren achter de stoelen.

Hij kijkt ernaar, maar zegt er niets meer over en houdt het portier voor me open. 'Waarheen?'

'Naar het westen. Ik ga je ons azuren venster laten zien. En de schimmelrots.'

'Klinkt fantastisch.'

21

Op een dag gaan we zomaar ineens als gezin naar het strand.
Mijn moeder maakt me wakker. Ze is vroeg opgestaan, heeft
een groot laken ingepakt en een koelbox volgestopt met salade, brood en vruchtensap. Mijn vader is er niet gerust op,
maar ze duwt hem naar buiten en sluit de deur van het restaurant.

Mij hoeft ze niet te overtuigen, ik zit als eerste in de auto, in
mijn bikini, met een opgevouwen handdoek op schoot.

Mijn moeder hangt zelfs geen briefje op de deur, ze laat gewoon het licht uit.

Ik stel me voor hoe onze klanten straks de klink op en neer
bewegen en met een hand boven hun ogen naar binnen kijken. Martini zal 's avonds komen, roepen vanaf het terras,
bonken op de poort van de binnenplaats en geen antwoord
krijgen. Morgen zullen ze natuurlijk terugkomen, die klanten, al was het maar om te kijken of wij nog steeds weg
zijn.

Op het strand zitten we tussen andere gezinnen, en met zijn drieën op het laken, in onze zwemkleren, zien we er net zo uit als iedereen.

Tussen de vloedlijn en het water zijn kinderen kastelen aan het bouwen, met emmertjes zand die ze omkeren om torens te maken. Een jongen graaft een geul van de zee naar het kasteel en een kleiner kind schopt een van de torens om. Ze rennen achter elkaar aan het water in en weer terug het strand op.

'Wil jij niet spelen?' vraagt mijn vader.

Ik haal mijn schouders op.

'Het lijkt wel alsof hier alleen maar gezinnen zijn.' Hij kijkt om zich heen.

Wat had hij anders verwacht op een zaterdag?

Met de handdoek die naast hem ligt, veegt hij het zweet van zijn gezicht. 'Ik ga zwemmen,' zegt hij en hij rent de zee in. Zijn lichaam is wit en hij draagt een zwembroek met rode en blauwe ruitjes. Nooit eerder heb ik hem in een zwembroek gezien.

Even denk ik erover om ook te gaan zwemmen, maar ik heb geen zin om te bewegen.

Mijn moeder reikt naar de koelbox en haalt er een fles sinaasappelsap uit. Ze geeft me een beker en schenkt het sap voor ons in. Haar eigen beker drinkt ze in één teug leeg.

Ik zet de mijne in het zand.

'Zo komen er beesten op af,' zegt ze.

'Waarom heb ik geen broertje of zusje?'

'Daar loopt een broertje. Een heleboel broertjes. Allemaal broertjes voor jou.'

Ze zit me te plagen. 'Ik wil het echt weten,' zeg ik.

'Kijk dan! Daar!' Ze knikt met haar hoofd naar het eind van de baai, waar de heuvels geleidelijk hoger worden, nog groen en vol van de natte lente die we dat jaar hebben gehad.

Ik kijk ook die kant op en zie een gezin met drie meisjes, maar die zijn niet aan het spelen, ze zijn al ouder en liggen op hun handdoeken te baden in de zon.

'Kijk, al die jongetjes! Hieruit.' Ze legt haar handen op haar buik en kijkt naar beneden. 'Hieruit. En nu komen ze terug. Allemaal hiernaartoe, ze komen hiernaartoe!' Ze springt overeind, nog steeds met haar handen op haar buik, en kijkt schichtig om zich heen. Ze deinst achteruit, naar het water.

Ik zie mijn vader over het strand rennen en zodra hij bij haar is, legt hij zijn handen op haar bovenarmen. Met zachte stem spreekt hij tegen haar, zo zacht dat ik hem niet kan verstaan. Zijn woorden volgen elkaar langzaam op, in een onafgebroken stroom, alsof hij een nerveus dier probeert te kalmeren.

Samen lopen ze naar de waterlijn. Ze gaan in de branding zitten en hij wast haar gezicht met zeewater.

Ik sta op om beter te zien wat ze doen en stoot mijn sinaasappelsap omver.

Later die middag ligt mijn moeder in de zon te slapen, met een T-shirt over haar hoofd, terwijl mijn vader en ik een kasteel bouwen aan de waterrand.

'Weet je, soms als je moe bent en allemaal geluiden hoort als je in bed ligt, voordat je in slaap valt, dan word je weleens bang.'

Ik knik en kijk naar het kasteel.

'En dan denk je bijvoorbeeld dat je een dief hoort, maar dat is niet echt zo.'

'Was mama bang?'

'Iedereen is soms bang.'

22

Bij de westkust nemen Rico en ik de weg van de heuvels naar 99
zee. Beneden op de parkeerplaats zie ik de bejaarde Duitsers
in hun bus klimmen. Die zijn er vroeg bij, en er staat hier niet
eens een kerk. Twee van hen kijken onze kant op en steken
hun hand omhoog. Ik knik beleefd terug, automatisch, zoals
ik dat altijd bij klanten heb gedaan.

'Wil jij die kleren meenemen?' vraag ik aan Rico. Ik zie aan
zijn gezicht dat hij zich inhoudt en dat bevalt me, dat hij niet
vraagt waarom, maar me gewoon helpt. Het is fijn om die
kleren in zijn armen te zien, het is alsof ze al niet meer bij mij
horen.

'Kijk, dat is het azuren venster.' Ik wijs naar de rotsboog
die voor ons in zee steekt en waar de paar toeristen die deze
ochtend de baai bezoeken, naartoe gelopen zijn.

'Het water is niet echt azuur.'

'Daar is het te vroeg voor, dat komt pas als de hemel helemaal opentrekt.'

Ik loop de andere kant op, weg van de toeristen, naar een

klif dat een eind boven zee uitsteekt. Onderweg knik ik met mijn hoofd naar een groot stuk steen, een meter of vijftig uit de kust. Het rijst omhoog uit het water en lijkt vanaf hier op een mossige kei, waar je meteen vanaf zou glibberen als je erop zou proberen te staan.

'De schimmelrots. Hele oorlogen zijn erover gevoerd. Die schimmel zou geneeskrachtig zijn.'

'Dus er werd goed voor betaald.'

'Natuurlijk. Totdat de mensen doorkregen dat ze een sprookje kochten.'

'Omdat de medische wetenschap vooruitging?'

'Omdat een ander sprookje beter werd verkocht.'

Als we op de rotspunt staan, voel ik pas goed hoe krachtig de wind hier is. Hij blaast door mijn jurk alsof ik niks aanheb. Om het weer een beetje warm te krijgen, sla ik mijn armen om mijn borst en wrijf met mijn handen over mijn schouders.

'Gooi die kleren maar weg,' zeg ik.

Rico kijkt om zich heen.

'Van de rots af. In zee.'

'Breng ze naar een tweedehandswinkel of zo, als je ze niet meer wilt.'

'Absoluut niet.'

'Maar dat is vervuiling.'

'De zee is groot genoeg. Doe het alsjeblieft.'

Hij kijkt er vertwijfeld bij, maar zijn aandrang om mij te behagen, wint het van zijn rechtschapenheid. Of misschien zijn principes voor hem net als kleding, als ze te warm worden, trek je ze uit.

De bloezen en jurken verdwijnen half zwevend, half dwar-relend richting zee. Eén bloesje wordt door de wind teruggelegd aan mijn voeten. Ik raap het op en werp het nogmaals van de rots. Betrekkelijk snel zinken alle kledingstukken en is er niks meer te zien.

'Tevreden?'

'Ze waren van mijn moeder.'

'Die wilde ze niet meer?'

Ik haal mijn schouders op.

'Is ze gestorven?'

'Weggegaan.'

'En jij was een kind?'

'Twaalf. Niet iedereen van twaalf is een kind.'

'Vooruitstrevend.'

'Hoezo?'

'Dat je bij je vader bent gebleven.'

'Ze wilde me niet hebben. Mijn vader durfde niet alleen te zijn. Weet ik veel.'

'Geen verklaring?'

'Geen enkele. Ze stapte in een taxi en dat was het. Alleen die kleren heeft mijn vader al die tijd bewaard. Verstopt in een kist. Tweeëntwintig jaar. Jij hebt eindelijk gedaan wat hij allang had moeten doen.'

Ik maak aanstalten om terug te lopen, maar Rico grijpt mijn arm en houdt me tegen. Hij trekt een ketting om zijn hals omhoog en van onder zijn hemd komt een medaillon tevoorschijn. Hij klikt het open. 'Mijn ouders.'

Ik zie twee gezichten, allebei met donker haar en broeierige ogen. De man heeft een snor en krullen en de vrouw draagt een grote bril met een gouden montuur.

'Na '73 uit Chili gevlucht.' Hij klikt het medaillon weer dicht. 'Ik kan me niks van ze herinneren.'

'Dit is alles wat je van je ouders hebt?' Ik knik naar het sieraad in zijn hand. 'Wat een vrijheid.'

'Zo heb ik het nog nooit bekeken.'

We lopen zwijgend naar de auto, bedrukt alsof we net een oude kennis hebben begraven. Ik overweeg hem te vragen wat er met zijn ouders is gebeurd en bij wie hij is opgegroeid, maar ik doe het niet. Ik wil dat zijn aanwezigheid een fris glas limonade in een hete zomer blijft.

23

In een van de schoolvakanties komen Cathy en Alessandra
bij mij touwtjespringen. We schuiven de stoelen en tafels op
het terras opzij, het is vroeg in de ochtend en er komen nog
lang geen gasten. Mijn vriendinnen houden het touw vast en
ik spring. In de afgelopen jaren ben ik er goed in geworden.
Na in- en uitspringen, op mijn hurken, draaien en al drie keer
met mijn ogen dicht, wat Cathy en Alessandra allebei nog
nooit gelukt is, ben ik met mijn ogen weer open op één been
aan het springen, wat gemakkelijk is.

Boven zee drijven schapenwolken en voor die wolken, aan
het eind van het pad van de serredeur naar de weg, parkeert
Martini zijn jeep, zodat niemand het terras op of af kan zonder over de afscheiding van hoge plantenbakken te stappen.

'Hé, beauty,' zegt hij, 'vraag je vriendinnetjes maar of ze
later terugkomen, we gaan een ritje maken met je moeder.'

Ik mis een sprong en struikel, maar kan nog net overeind
blijven. Ik kijk Martini na terwijl hij de serre in loopt.

Cathy en Alessandra gaan dicht bij elkaar aan de rand

van het terras staan, het springtouw slap tussen ze op de grond. Ik weet dat ze het spannend vinden, maar ook raar, dat die man hier komt en tegen me spreekt alsof hij mijn vader is.

Als eerste komt mijn moeder naar buiten, met een ferme stap en haar kin omhoog. Ze loopt voor me langs zonder op me te letten en staat ineens stil als ze Martini's auto ziet.

Martini volgt haar op de voet.

Als laatste stapt mijn vader het terras op, met een grote weekendtas. 'Suzy, ga je mee?' zegt hij.

Ik loop naar hem toe en zwaai snel naar Cathy en Alessandra, die benepen terugzwaaien.

Martini staat rechts van mijn moeder. 'We zijn er bijna,' zegt hij tegen haar.

Ze zegt niets terug en blijft stokstijf staan.

Mijn vader duwt de tas in mijn handen en stelt zich links van mijn moeder op. Beide mannen leggen een arm op haar rug en duwen haar vooruit, naar de auto.

Ze trekt zich los en kijkt naar mij, met open mond en haar wenkbrauwen opgetrokken boven haar zonnebril.

Ik voel me alleen, met haar tas in mijn handen en de ogen van Cathy en Alessandra in mijn rug.

Mijn vader pakt haar arm stevig vast en draait haar naar de auto.

'Laat me los! Laat me los, Alfred!' schreeuwt ze.

Hij duwt haar de jeep in en Martini stapt achter het stuur. Ik kruip bij mijn vader en moeder op de achterbank en trek de deur dicht.

'Jij maakt me gek!' roept mijn moeder en ze slaat met haar vuisten op mijn vaders borst. 'Jij!'

Mijn vader houdt haar vuisten vast en zegt: 'Ik woon hier voor jou. Hier is overzicht. Hier kun je vrij zijn, als je accepteert dat je hier bent. Als ik dat kan, kun jij het ook.'

Ik vind het oneerlijk. Mijn moeder heeft het recht te leven zoals zij wil.

De hele rit zeg ik niks, ik blijf stil zitten met mijn armen over elkaar tot we bij het ziekenhuis zijn. Daar komen twee vrouwen in witte kleren naar de auto toe en nemen ons mee, met mijn moeder tussen hen in.

24

106 Als we bij San Lawrenz aankomen, staat Martini bij de deur van een van de appartementen op ons te wachten. Hij zwaait en ik betrap mezelf erop dat ik zou willen dat hij Cathy was, of Alessandra, dat zij me zouden zien uitstappen uit Rico's sportwagen, mijn hand in de zijne terwijl hij de deur voor me openhoudt, de zee achter ons glinsterend in de zon. Het klinkt als een foto in een societyblad en ik schaam me voor mijn puberale gedachte.

'Fijn dat we zo snel konden afspreken,' zegt Rico tegen Martini.

'Voor een vriend van Suzy? Natuurlijk.' Een windvlaag blaast Martini's blonde plukken los. Hij veegt met zijn hand over zijn hoofd en drukt ze weer op hun plaats.

Het valt me op hoeveel grijs erin zit, dat had ik 's avonds in het restaurant niet gezien.

We gaan naar binnen. Het appartement is ruim, ook omdat het bijna leeg is. Behalve een keukenblok, bevat het alleen een tafel met stoelen, een bed en een staande lamp. Aan de achterkant komen openslaande deuren uit op een kleine patio.

'Perfect. Je kunt hier van de ene naar de andere kant dansen.'

'Wat aankleding zou geen kwaad kunnen.'

'Dan hang je toch een paar van jouw schilderijen op.'

'Schilder je?' vraagt Rico.

Ik loop naar buiten en wacht bij de auto. Liefkozend streel ik over de ronde vormen. Hij is er heel Europa mee doorgereden. Dat wil ik ook, met zo'n auto Europa doorkruisen, stoppen wanneer ik zin heb en verder rijden als ik genoeg gezien heb. Ik leun achterover op de warme motorkap, handen gekruist op mijn buik.

'Ik heb het gehuurd.' Rico kijkt me verheugd aan.

'Breng je me terug? Ik moet mijn vader helpen met de lunch.'

'Als je vanavond met me uitgaat.'

'Waarheen?'

'Gewoon. Uit.'

'Dat gaat niet.'

We rijden terug. 'Tot vanavond,' zegt hij, nadat ik ben uitgestapt. Ik schud mijn hoofd, maar hij ziet het niet, hij trekt hard op en steekt zonder om te kijken zijn hand in de lucht.

In de keuken snijd ik vast komkommers voor de lunch. Ik wil vandaag goed voorbereid zijn.

Nadat ik er drie heb gedaan, leg ik de schijfjes aan de kant en pak de tomaten. Terwijl ik in het messenblok zoek naar een scherp mes met kartels, stapt mijn vader de keuken in.

'Je moeder hield van je,' zegt hij. 'En van mij.' Hij leunt tegen de hoge koelkast en kijkt niet naar mij, maar naar de vloer onder het werkblad, alsof hij zijn herinneringen daar in een van de plastic bakken heeft opgeslagen.

'Wat ondernam ze dan met mij?'

'Ze liep elke dag met je naar school. Ze leerde je tekenen. Weet je dat nog, dat je van haar hebt leren tekenen? In weekenden en schoolvakanties zaten jullie hiertegenover aan zee en maakten wolken en water en verzonnen er schepen bij. Dan vertelden jullie verhalen over de landen die ze bezochten. Ik zie jullie nog zo voor me staan, als jullie binnenkwamen voor de lunch. "Die met een rode hoed op zijn gevangenen!" riep je en ik had geen idee wat je bedoelde, maar de volgende ochtend bond ik een rode theedoek om mijn hoofd en hielp jij me van de binnenplaats te ontsnappen.'

'Waarom vertel je me dit?'

'We waren gelukkig, heel lang. Je hebt mooie herinneringen. Ik wil dat je dat weet.'

'Al die jaren heb je me nooit iets verteld.'

'Ik vertel het nu.'

Ik heb het kartelmes gevonden. Ik laat het op de snijplank liggen en loop de keuken uit. 'Succes met de lunch,' zeg ik.

25

Mijn vader en ik gaan elke middag na de lunch bij mijn moeder op bezoek. Meestal eten we een ijsje op de bank voor de ingang, onder een boom met grote bloemen. Verder mogen we haar niet meenemen.

Vandaag heb ik een pak viltstiften bij me. Mijn moeder heeft gezegd dat ze wil tekenen, maar we kunnen haar geen potloden brengen. 'Ze hebben daar geen puntenslijper,' zegt mijn vader, als ik hem vraag waarom dat niet mag.

'Die kunnen wij haar toch geven?'

'Dan worden de potloden te scherp.'

'Maar ze moeten scherp zijn om goed te kleuren. Anders gaan ze krassen of vlekken.'

'Het is te gevaarlijk, schat.'

Ik ben oud genoeg om het antwoord te begrijpen.

De groene deur voor ons gaat open en de arts laat ons binnen. Mijn vader geeft haar een hand en stapt meteen over de drempel. De gang is slecht verlicht, anders dan de kamer van de dokter, en daardoor valt mijn vaders schaduw de gang in, over mijn voeten. In die schaduw glip ik naar binnen, als een verstekeling over een loopplank die men vergeten is aan boord te halen. Hij neemt me elke keer mee, alsof het niets bijzonders is, maar het is hier niet bedoeld voor kinderen. Er zijn dikke deuren met zware sloten en er is nergens speelgoed.

Mijn moeder zit op een rechte stoel tegenover het bureau van de dokter.

Ik ga op de stoel naast haar zitten en geef haar de stiften.

Ze legt ze zonder iets te zeggen in haar schoot.

Ik probeer te luisteren naar het gesprek dat mijn vader met de dokter voert, maar ik word afgeleid door mijn moeder, niet omdat ze iets doet, juist het omgekeerde, ze kijkt me niet één keer aan en als ik over haar been streel, pakt ze niet mijn hand.

Ze duwt hem ook niet weg.

Ik hoor de dokter praten over iets wat ze mijn moeder gegeven hebben en kan daar van alles bij verzinnen, dat het geen cadeau is, is me wel duidelijk.

Na een poos pakt ze toch mijn hand. De hare is koud, nog veel kouder dan de mijne vaak zijn, en van schrik trek ik mijn hand terug. De rest van de tijd houd ik hem tussen mijn benen in mijn andere hand geklemd. Ik zou haar wel weer willen aanraken, maar ik weet niet hoe ik moet beginnen en ik wil haar niet nog een keer teleurstellen.

Niet dat ze daar iets van laat blijken. Nadat ik mijn hand heb weggetrokken, heeft ze de hare gewoon weer op het pak viltstiften gelegd.

Als mijn vader en de dokter klaar zijn met praten, staat hij op en geeft mijn moeder een zoen op haar voorhoofd. Snel kus ik haar hals, tegelijk hoopvol en bang dat ze iets zal zeggen of me zal omhelzen. Ze kijkt nauwelijks op.

We gaan weg en mijn moeder blijft achter. Ik weet niet of ze ooit weer mee zal komen, de deur gaat dicht en zij zit aan de verkeerde kant.

Op de gang trekt mijn vader me tegen zich aan als ik huil en ik verberg mijn tranen in zijn zij en klem hem vast, elke keer, tot de dag dat hij niet meer voldoet. Dan duw ik hem weg als hij me wil omhelzen, net zoals ik mijn tranen weg kan duwen. Ik loop gewoon naar buiten.

26

112 Ik sta op de binnenplaats, op weg naar mijn auto, maar ik heb
geen idee waar ik naartoe zou gaan en hoe langer ik naar de
poort kijk, hoe minder ik mijn vader echt alleen wil laten met
de lunch. Tegelijkertijd heb ik geen zin om hem te zien of met
hem te praten. Op de valreep komt hij met rooskleurige anek-
dotes over onze jaren met zijn drieën. Alsof het me zou helpen om nu nog te horen dat mijn moeder ooit van me gehouden heeft.

Mijn telefoon gaat. Ik vis hem uit mijn tas en bedenk dat
het vast weer Victor is die belt. Voor ik kan opnemen, stopt hij
met rinkelen. Acht gemiste oproepen, een van Cathy, de rest
van Victor. Het idee om hem vanaf hier terug te bellen, maakt
me zenuwachtig, zoals ik ook zenuwachtig werd toen ik een
keuze uit mijn werken moest maken voor de tentoonstelling
in onze galerie. Alleen is dit een donkerder soort zenuwach-
tigheid, bij de tentoonstelling bestond in elk geval de kans
dat ik het tot een goed einde zou brengen.

Victor heeft nooit een voet op Gozo gezet, hij is de enige

aan wie ik alleen mijn verhaal heb verteld, de enige die nergens getuige van is geweest.

Vanochtend in bed heb ik hem gemist. In het begin, toen hij net mijn minnaar was, voelde elk moment zonder zijn handen op mijn lichaam als een kwelling. Ik had gedacht dat die lichamelijke behoefte verdwenen was, maar nu wil ik zijn lichaam ruiken, ik wil de lucht voelen bewegen als hij vlak langs me loopt. Ik had me tot nu toe niet gerealiseerd hoe troostrijk het gewicht van zijn arm kan zijn, wanneer die 's nachts uit zichzelf over mijn zij valt.

Die dag aan de kade is hij me komen halen. Ik zie hem nog uit de bus stappen, de deuren schuiven open en schuchter als een jongen die voor het eerst op schoolreis gaat, daalt hij de twee treden af. Hij heeft me al zien staan en werpt af en toe een blik in mijn richting, om te peilen wat hij kan verwachten. Zijn houding verbaast me. In zijn atelier is hij onuitstaanbaar, maar hier werpt hij zich nog net niet aan mijn voeten en ik kan hem vergeven, bij me nemen en de troost bieden die hij zoekt en die hij hard nodig lijkt te hebben wanneer hij buiten zijn habitat komt.

'Wat als ik op die boot was gestapt?' vraag ik hem. We zijn alleen, de andere buspassagiers zijn doorgelopen naar de plek waar ze zo aan boord zullen gaan.

'Dan had ik op de volgende afvaart gewacht en je op Gozo opgezocht.'

'Waarom?'

'Om je te zeggen dat het me spijt.'

'Is dat alles?' Ik geniet ervan om hem te zien worstelen met zichzelf en hoewel hij langer is, voelt het alsof hij naar mij opkijkt.

'Je hebt talent. Ik zag het meteen aan je tekeningen. Zelfs aan die beschrijvingen die jij zo stom vindt.'

Als we terug zijn, laat hij me schilderen. Ik begin met het kopiëren van zijn werken, havens, zeegezichten, boten op het strand, een zonsondergang. Hij houdt soms mijn hand met het penseel vast en laat zien welk verschil het oplevert als ik de ene of de andere richting kies voor een streek of als ik meer of minder verf gebruik. Mijn oog corrigeert hij nooit. Na een week staan we buiten en maak ik mijn eigen schetsen, schilder naar de natuur en leer van hem hoe ik mijn composities dramatischer en romantischer maak. Zelf ontdek ik later hoe ik ze sneller kan maken, en met minder verf, ook nuttig als je ervan moet leven. Hij heeft zich daar nooit mee beziggehouden, maar ik heb jarenlang in een restaurant gewerkt.

Ik bel Cathy terug. 'Hoe gaat het met je vader?' vraagt ze.

'Goed genoeg om me op mijn zenuwen te werken.'

'Zijn jullie de hele tijd met zijn tweeën?'

'Ik hoop dat er zo gasten komen voor de lunch. Dat leidt in elk geval af.'

'Bij mijn moeder duurde het jaren.' Ze laat een duidelijk hoorbare pauze vallen na deze zin, maar ik heb de geschiedenis met haar moeder toentertijd aangezien en voel geen behoefte om er nu met haar over te spreken.

We waren begin twintig en haar leven leek te zijn leegge-schept, zodat alleen de fysieke functies overbleven, wat een bijna onoverbrugbaar verschil opleverde tussen haar bestaan en het mijne, waarin liefde, angst, vreugde en onmacht dage-lijks streden om op de voorgrond te staan.

'Ik hoef niet veel voor hem te zorgen. Hij wil alles zelf doen. Gisteren heeft hij die kreeft nog opgehangen, dat enor-me, plastic ding. Er kwam een groep Duitsers.'

'Jullie moeten rustig aan doen. Het is toch niet goed als hij zich zo inspant?'

'Ik denk niet dat het enig verschil maakt.'

Cathy zwijgt en het valt me op hoe gemakkelijk ik dit soort stiltes ben gaan vinden. Ze zijn voor mij onderdeel van de communicatie geworden, misschien wel het onderdeel dat het sterkst je zelf bevestigt, dat je laat voelen dat jij en de an-der eigen personen zijn, die nooit helemaal door elkaar om-vat kunnen worden.

Uiteindelijk vraagt ze of ik het een fijne afleiding vind om nog eens met haar af te spreken.

'Zeker, maar nu moet ik mijn vader helpen met de lunch,' zeg ik en ik hang op.

27

116   Ik voel me ongemakkelijk en realiseer me dat ik de hele tijd tegen de tuinhark aan heb staan kijken, die nog steeds op het plaatsje ligt. Ik raap hem op en leg hem op een leeg krat. Tegen de achtermuur van het restaurant staat een houten kast, waar mijn vader gereedschap en blikken verf in bewaart. Ik pak er een handzaag uit, zet mijn knie op de steel van de hark en zaag het ding in vier stukken.

Ik open de container en laat één voor één de stukken bezemsteel erin vallen, als laatste het stuk met de tanden. Met een wee gevoel kijk ik naar het hout en de stalen punten, boven op de lege verpakkingen en resten voedsel. In de container liggen dikke, witte proppen, die een geur afgeven waar ik misselijk van word. Het duurt even voor ik doorheb wat het zijn. Luiers voor volwassenen. Ik wist niet dat hij die al nodig had.

Als ik het afval aan de weg zet, kom ik de buurvrouw tegen. Ze sleept hun container met één hand achter zich aan en draagt op haar andere arm een baby. Ik ben haar naam vergeten. Ze hebben het restaurant naast dat van ons overgenomen vlak voordat ik naar Malta ging. De baby heet Clive, dat weet ik wel, en hij is hun derde. Mijn vader heeft me een paar maanden terug verteld van zijn geboorte. Ik weet de namen van al hun kinderen, al heb ik ze nooit gezien. Teddy is de middelste en de oudste heet Johnny. Ik heb me vaak een voorstelling van ze gemaakt, terwijl ze hier aan het spelen waren, op de terrassen of aan de waterkant, nauwlettend in de gaten gehouden door hun ouders.

'Jou heb ik lang niet gezien,' zegt ze, als ze haar container 117 naast die van ons zet.

'Ik was er niet.'

'Je vader heeft verteld over je tentoonstelling. Heb je al wat verkocht?'

'Wel wat.'

'En nu ben je hier voor hem.'

'Natuurlijk.'

'Hoe gaat het met hem?'

'Wel goed.'

'Meen je dat nou?'

'Hij doet zoveel mogelijk zelf.'

'Je vader is een doorzetter.'

Ik zou het geen doorzetten noemen. Hij leeft op routine, er komt geen vrije keuze aan te pas. Ik wil niet te veel over zijn gedrag nadenken, ik schiet er niks mee op, behalve dat de dagen nog langer zullen lijken.

'Mooi jongetje,' zeg ik tegen de buurvrouw. Het kind ziet

er vrolijk uit, en ik klamp me daaraan vast, al weet ik dat het me leeg zal achterlaten als ze zo weer weg zijn.

De buurvrouw leunt wat opzij, zodat hij op haar heup zit en ze hem goed kan presenteren.

'Dag Clive.' Ik kietel hem onder zijn kin.

'Wat goed dat je zijn naam weet.'

'Hèhèhè,' zegt Clive en hij wappert met zijn armen.

'Kom, we gaan eten,' zegt de buurvrouw tegen hem, voor ik kan vragen of ik hem mag vasthouden. Ze heeft knoeperds van melkborsten, die haast obsceen uit haar bloes puilen.

Ella, zo heet ze, bedenk ik als ze alweer binnen is.

Terug in het restaurant kijk ik naar mijn vaders broek terwijl hij door de serre loopt. Ik probeer te zien of er rare bulten in zitten, maar ik zie niets.

Als hij klaar is met de voorbereidingen voor de lunch, gaat hij aan de ronde tafel zitten. Hij zegt er niks over dat ik toch hier ben gebleven, maar af en toe, als hij denkt dat ik het niet doorheb, gluurt hij naar mij, om te controleren of ik niet alsnog wegga.

'Ik ben buiten, Alfred.'

Hij knikt, meer niet.

Ik ga met een kop koffie onder een parasol zitten en kijk naar de weg, alleen met mijn gedachten, of zelfs minder dan dat, mijmeringen hooguit. Ik wacht, mijn geest richtingloos, op de achtergrond een vaag besef van vergeefsheid.

Na een halfuur haal ik een nieuwe kop koffie. Ik zie twee mensen langs de zee wandelen en een poosje later rijdt er een auto voorbij. Er is niemand komen lunchen en ik kan me niet voorstellen dat er alsnog een gast het terras op stapt.

120 'Is je moeder met vakantie?'

Ik sta tussen Cathy en Alessandra in, samengedrukt onder een afdakje aan de zijkant van het schoolgebouw.

'Nee.'

'Je nam toch een tas voor haar mee?' Ze hebben goed staan kijken blijkbaar.

Ik zou nu het liefst weer touwtjespringen, maar het regent.

'Ze is naar het ziekenhuis.'

'Wat heeft ze dan?'

'Dat onderzoeken de dokters nu.'

Ik ben zo laat mogelijk naar school gegaan vanochtend, ik wist dat Alessandra me zou staan opwachten, met Cathy in haar kielzog. Toen ik op mijn stoel plofte, was de bel net gegaan. De hoofdmeester trok zijn wenkbrauwen even op, maar besteedde verder geen aandacht aan mijn late binnenkomst, heel anders dan de juffen die ik hiervoor heb gehad.

We maken een werkstuk voor aardrijkskunde, over een ver land. Alessandra heeft Amerika gekozen, zoals de halve klas, en weet nu dat ze de Verenigde Staten bedoelde. Cathy wilde Afrika, maar dat is geen land, dat hebben we twee jaar geleden al geleerd, dus nu doet ze Tanzania, vanwege de dieren. Ik heb Noorwegen gekozen, dat lang en smal is op de kaart en Europa lijkt te beschermen, als een zeewering tegen het ijs. De kliffen zijn er veel hoger dan hier en het is er altijd koud en je kunt uren, soms zelfs dagen achtereen autorijden zonder iemand te zien. Hier kun je überhaupt geen uur rijden zonder de zee tegen te komen.

Terwijl we schreven aan onze opdracht ging het regenen, zachte, grote spetters die zich op de ramen uitsmeerden. Nu is het pauze en we moeten buiten blijven, ook al regent het steeds harder. Straks, in het lokaal, zal de geur van natte wol verstikkend zijn.

'Weet je al wanneer ze terugkomt?'

Ik schud mijn hoofd.

'Ze loopt ook weleens weg, toch?'

Ik wil verdwijnen.

Alessandra stelt de vragen terwijl Cathy naar de grond staart, zodat ze me niet hoeft aan te kijken. Ze wil laten zien dat ze het erg voor me vindt en dat ze mijn privacy respecteert, maar ondertussen luistert ze maar wat goed naar alles wat Alessandra zegt. Ze heeft haar de vragen misschien zelfs van tevoren ingefluisterd.

In plaats van antwoord te geven, spring ik de regen in en draai rondjes, met mijn armen in de lucht. 'Kom dan, dit is lekker, voel het,' roep ik. Ik begin te zingen: 'Singing in the rain, I'm singing in the rain.' Meer tekst ken ik niet, maar ik heb Alessandra naar het plein gelokt, die nu ook meezingt en probeert om danspassen te doen alsof ze in een musical speelt. Ik spring rond over het plein, zwaaiend met mijn armen, warm van het bewegen, en zing: 'Lalalala, lala, lalala.'

'Zo hoort het niet,' zegt Alessandra, en ze gaat weer bij Cathy staan onder het afdak.

Ik moet oppassen dat ik niet te vreemd ga doen, veel krediet heb ik niet meer nu mijn moeder is opgesloten. Straks vinden ze mij net zo raar.

Dominic ziet mij springen en rent naar me toe. 'Lekker, hè!' roept hij, met zijn gezicht omhoog. Hij opent zijn mond om de regen op te vangen. Hand in hand springen hij en ik over het plein, 'lala' roepend tot we schor zijn en de bel gaat.

Pas als ik weer een tijdje zit, merk ik hoe nat en koud ik ben.

'Is je moeder gek?' vraagt Alessandra op een middag.

We zijn na school bij haar thuis, op haar kamer. Ik ben al een poos niet meer bij haar geweest, en ik was zo blij toen ze me meevroeg, dat ik weer helemaal zeker weet dat zij mijn vriendin is en dat ik haar kan vertrouwen. En Cathy ook.

'Ze is in de war,' zeg ik. Het is een opluchting om dat hardop te zeggen.

'Wat erg voor je.' Alessandra omhelst me en daarna, iets schuchterder, Cathy ook. 'Je kunt het aan, hoor,' zegt Alessandra, 'ik zie je in dat restaurant, bij je vader, je kunt alles al. Jij redt je wel.'

Waarschijnlijk zegt ze het om zichzelf nog groter te voelen, zij is tenslotte degene die mij het compliment geeft, maar alles wordt veel gemakkelijker nu ze dit heeft gezegd. Ik ben weer mezelf, ze vragen steeds minder naar mijn moeder en ons leven gaat verder, alsof Lucinda al niet meer bij mij hoort.

Wanneer mijn moeder terug is, komen ze een kijkje nemen. Ze staan met zijn zevenen voor de deur, Alessandra met haar moeder en zussen, Cathy met haar ouders. Ik help ze om twee tafels tegen elkaar aan te zetten en vraag wat ze willen drinken, eerst aan de volwassenen. Dat doe ik normaal nooit, ik ga altijd met de klok mee alle gasten aan de tafel af, maar nu kan ik aan mijn vriendinnen laten zien wat mijn rol hier is en hoe hij verschilt van die van een kind dat alleen maar als een soort aanhangsel door haar ouders wordt meegenomen.

Mijn moeder neemt bestellingen op bij de andere gasten en samen schenken we de glazen in achter de bar. Ze glimlacht als ze mij bezig ziet en aait over mijn hoofd. 'Grote meid,' zegt ze.

Ik hoop dat niemand dit hoort of ziet, al moet ik aan mezelf toegeven dat ik stiekem zin heb om haar te knuffelen. Terwijl ik de cola voor mijn vriendinnen en de wijn voor hun ouders serveer, ontstaat achter mij een gesprek dat me ineen doet krimpen.

'U kunt beter van plaats ruilen.'

'Hoezo?'

'Dat is mooier, dan wisselen blauw en rood elkaar harmonieus af.'

'Waar hebt u het over?'

'Uw jasje en de bloes van uw vrouw. Als ik achter de bar sta, overzie ik alles.'

'Mevrouw, ik blijf zo zitten. Ik arrangeer mijn tafel liever op gezelligheid dan op kleur.' De man die gesproken heeft en zijn vrouw lachen, net als hun kinderen en de mensen aan de tafel ernaast.

Voor me kijken Cathy's ouders opzichtig naar het tafelblad, maar ik zie de ogen van Alessandra's moeder opzij schieten naar mijn moeder.

Alessandra zelf kijkt naar mij en Cathy staart ongegeneerd mijn moeder na, die met opgeheven hoofd terugloopt naar de bar.

'Mam, laat de mensen zelf bedenken wat ze willen. Ze zijn te gast,' zeg ik tegen haar, al heeft ze gelijk over die kleuren. Ik leg mijn hand op haar schouder, maar ze draait weg en verstopt zich in een hoek van de bar.

'Ik moet ernaar kijken,' zegt ze.

Op dat moment hoor ik Cathy's stem: 'Mevrouw Koster, mag ik nog wat bestellen?'

Ik werp een boze blik haar kant op, maar die ziet ze waarschijnlijk niet eens, omdat ze alleen naar mijn moeder kijkt. Die lijkt haar niet gehoord te hebben. Ik geloof niet dat Cathy haar ooit eerder mevrouw Koster heeft genoemd, ze heeft altijd mama van Suzy gezegd, en vanaf dat we een jaar of tien waren, mevrouw of mevrouw Lucinda.

Mijn vader komt uit de keuken en brengt mijn moeder naar boven.

Ik ren me de rest van de avond rot om iedereen te bedienen

terwijl mijn vader kookt, maar het lukt allemaal. Als ze gaan, fluistert Alessandra in mijn oor dat ik het goed heb gedaan in mijn eentje en dat ze het heel knap van me vindt.

Ik ben blij als ik de deur achter de laatste gast dichtdoe en nog blijer dat mijn vader mij niet vraagt wat er met mijn moeder aan de hand was.

Een paar weken, misschien een paar maanden later, herschikken mijn moeder en ik de flessen drank achter de bar, zodat hun kleuren en etiketten het beeld zullen vormen dat zij in haar hoofd heeft.

'Zet die twee eens naast elkaar.'

Ik pak de flessen die ze aanwijst en zet ze op de bovenste plank voor de spiegel.

'Nee, toch niet.'

Ik wil de flessen weer op de bar zetten, als ze zegt: 'Wacht even. Kijk jij eens hoe jij het vindt.'

Ik kom naast haar staan. 'Nee, da's niks,' zeg ik. Het maakt me weinig uit hoe ze staan, maar ik wil helemaal niet snel klaar zijn hiermee. 'Laten we deze proberen.' Ik zet een paar kleurloze flessen met witte etiketten in het midden, wodka, sambuca, en aan beide kanten ernaast een donkere tequilafles met een geel etiket.

'Misschien,' zegt ze.

Ik ga naast haar staan en we kijken met zijn tweeën naar de flessen, hoofden gebogen, ik het mijne naar dat van haar.

'Ik weet het niet meer.' Ze loopt naar buiten en gaat op het lege terras zitten. Verschrikt kijkt ze naar haar handen, alsof het ineens niet meer de hare zijn.

Mijn vader volgt haar. 'Laat je dat nu zo staan?' zegt hij.

'Het past niet.'

'Dan kun je de flessen toch terugzetten?'

'Ach, man.'

Hij zucht en komt weer naar binnen.

Ik sta wat verloren bij de flessen en vraag of ik het alleen moet afmaken.

'Nee, laat maar,' zegt hij, 'ik doe het straks.'

Ik vind het goed, ik wil het ook helemaal niet alleen doen, ik wilde het samen met mijn moeder doen.

Na de lunch zet hij alle flessen soort bij soort, één voor één, en over elke fles haalt hij een doek voordat hij hem op een plank zet. Hij is maar net op tijd klaar om samen met mij het diner voor te bereiden, ik sta al in de keuken en heb de oven aangezet en mandjes met brood gevuld. Mijn moeder is met een gezicht dat op storm stond in bed gaan liggen. Af en toe klinkt er gesnik van boven.

Ik kijk mijn vader vragend aan.

'Laat haar maar uithuilen,' zegt hij. 'Ze is gewoon verdrietig dat het niet is gelukt.'

Ik vind dat ze zich aanstelt, maar dat durf ik niet tegen hem te zeggen, het zou gemeen zijn.

Sinds mijn moeder terug is, wordt er meer gedanst dan ooit in Alfred's Bistro. Na het diner schuiven we de tafels met borden en al aan de kant en daarna ruim ik af, terwijl 'Bamboleo' van de Gipsy Kings veel te hard uit de speakers klinkt. Mijn vader mixt cocktails en mijn moeder danst met de gasten.

Op een van die avonden springt er een grote man op tafel en hij begint een wilde dans, zwaaiend met armen en benen, niet eens in de maat. De achteloze manier waarop hij zichzelf belachelijk maakt, ergert me. Ik zou me doodschamen als Cathy of Alessandra nu naar binnen zou lopen.

Als ik twaalf ben, trek ik op een dag een jurk van mijn moeder aan, een lange, laag uitgesneden jurk van glanzende zijde die ze niet vaak draagt, maar waarin ze eruitziet als een filmster op een glamourfeest. Ik ga ermee voor de grote spiegel op hun kamer staan, glijd met mijn handen over mijn borsten en heupen om de stof glad tegen mijn lichaam te trekken en draai beurtelings mijn linker- en rechterheup naar voren, terwijl ik mijn haar omhoogduw, zoekend naar een pose die lijkt op de foto's in haar tijdschriften. Ik hoor de deur achter me niet opengaan en zie alleen een glimp van haar krullen in de spiegel, voordat ik de klap op mijn oor voel.

'Trek uit! Die is van mij.'

Ik huil niet, al branden mijn wang en oor. Ik trek de jurk uit en leg hem op het bed. Naakt blijf ik tegenover haar staan, een hoekig jongenslichaam met kleine borsten en dunne haartjes tussen mijn benen.

Ze geeft me nog een klap.

Deze zie ik aankomen, maar ik duik niet weg.

Ze pakt de jurk en scheurt de stof van hals tot navel en ik schrik, omdat het klinkt alsof het kraken van de stof het kraken van haar eigen lichaam is.

'Wat doe je?' Mijn vader is de kamer binnengekomen en ineens schaam ik me, ik wil niet dat hij me naakt ziet. 'Waarom sla je haar?'

Het is fijn dat hij mijn kant kiest. Ik gris de jurk van het bed en houd hem voor mijn lichaam. 'Laat maar, pap,' zeg ik.

Het ligt niet alleen aan haar, het ligt ook aan mij. Ik probeer haar toe te laten, maar ze is te lang weggeweest. Inmiddels heb ik mezelf zo goed gewapend tegen het keer op keer dichtvallen van die deur waar zij achter zat, dat ze geen gevoelens meer bij me opwekt, ook niet nu ze er al een poos weer is.

Dit vertel ik aan mezelf, 's nachts in bed, maar in de nachten dat ik echt niet kan slapen en blijf draaien tussen mijn lakens, komen de vragen terug die Cathy en Alessandra hebben gesteld: 'Wat heeft ze dan?' En: 'Wat deed ze toen ze wegliep?' Ik heb er nooit een antwoord op kunnen geven.

Soms denk ik dat ze al verdwenen was toen ze in die grot ging zitten waar Martini haar vond en ze dingen zei waar geen touw aan vast te knopen was.

29

Mijn vader loopt door de serre met messen en vorken.

'Waarom dek je al die tafels?'

'Voor als er gasten komen.' Hij gaat tegenover mij zitten en zet het mandje met bestek op tafel.

'Ik ben moe,' zegt hij.

'Zijn er reserveringen?'

'Nee. Maar ik wil niet de hele avond voor me uit staren.'

'Als er niemand komt, zitten we alleen naar elkaar te kijken.'

'Er komt altijd iemand.'

'Zoals vanmiddag? Of er komt één stel, en wat dan? Blijven we open voor één tafel? Het heeft geen zin.'

Hij laat zijn hoofd op zijn borst hangen.

Ik kijk uit het raam, naar mijn auto, die er misplaatst uitziet hier in het zand. Hij is te modern, zijn vormen zijn incongruent met mijn herinneringen. Vroeger stond daar een Renault 4.

'Ik stop je in bed,' zeg ik. 'Jij valt toch in slaap en ik wil weg.'

'Ga je weg?'

'Nee, ik wil uit vanavond. Als er iets is, bel je me.'

'Ik ga niet slapen.'

'Wat je wilt.'

Boven zoek ik in mijn oude kast naar iets om aan te trekken, maar ik kan niks beters vinden dan de jurk die ik al de hele dag aanheb. Voor de badkamerspiegel teken ik lijntjes op mijn oogleden, zodat je straks hun vorm nog kunt zien als het donker is. Ik knipper een paar keer en bedenk dat ik mascara mee had moeten nemen.

Als ik weer beneden kom, heeft mijn vader rijst en gebakken eieren voor ons gemaakt.

'Wat een eigenaardig gerecht,' zeg ik.

'De eieren moesten op.'

Ik zet de televisie aan. Er is een oude film op met Humphrey Bogart en Lauren Bacall.

Mijn vader zit naast me met zijn armen over elkaar. Hij heeft zijn ei niet aangeraakt, alleen een paar happen van de rijst genomen.

'Wil je niet eten?'

'Wat maakt het uit?'

'En de eieren?'

Hij zegt niets meer en na een poosje vallen zijn ogen dicht.

Ik hoop dat Rico snel komt en kijk op mijn telefoon of hij misschien een bericht heeft gestuurd, maar er is niks, zelfs geen gemiste oproep van Victor. Ik vraag me af of hij me wil straffen door me niet meer te bellen, of dat hij het gewoon heeft opgegeven.

Het begint te schemeren. De lampen zijn nog uit en langzaam verandert de serre in een somber aquarium. Ik kijk naar het tafeltje waar ik aan zat, vlak voor de bar, toen ze met haar koffer de trap af kwam. Diezelfde dag nog besloot ik alles te vergeten, of eigenlijk was het 's nachts, toen ik in bed lag te staren naar het plafond. Heel bewust nam ik dat besluit: er niet meer aan denken, me niet afvragen hoe ze zo'n keuze kon maken. Er was niks rationeels aan haar, hoe zou ik haar kunnen begrijpen? Maar iets vergeten is niet hetzelfde als eraan ontsnappen. Mijn hele leven heb ik als een bezetene gewerkt, in dit restaurant, in het atelier. Ze heeft me gemaakt tot wie ik ben, of ik wil of niet. Ik kijk naar de lege serre, en zie voor me het kind staan dat mee wil. Wat zat er in haar hart? Steen? IJs? Ik doe het licht aan en het kind verdwijnt, de hele scène trekt zich terug op de plek waar ze hoort.

Mijn vader is diep in slaap. Hij zit erbij alsof de grond aan hem trekt, de huid van zijn gezicht en hals is naar beneden gezakt en hij zit zo stil dat hij zonder enige trilling, in precies deze houding, de bodem in zou zakken als die zich nu onder hem zou openen. Ik moet denken aan de wagentjes met ingebouwde lift die ze tegenwoordig gebruiken bij begrafenissen. Even overweeg ik hem hier te laten zitten. Waarom ook niet, als hij wakker wordt, weet hij zijn bed zelf wel te vinden. Maar in mij zit nog dat kind van twaalf, van veertien, van zestien, dat hem verzorgen moet om te voorkomen dat ze gek wordt. Ik kan er niks aan doen, hoe goed ik ook weet dat haar tijd voorbij is, hoezeer ik ook dacht in de afgelopen jaren te hebben bewezen dat zij niet meer bestaat: hier is ze, we horen bij elkaar.

Ik duw tegen mijn vaders schouder.

Hij reageert niet.

'Kom, Alfred, je moet naar bed.' Ik trek hem overeind en de stoel valt om. Gelukkig heb ik mijn arm onder mijn vaders oksels, anders was hij ook gevallen.

Hij doet zijn ogen open. 'Wat is er?' vraagt hij.

'Je slaapt. Kun je je voeten optillen?'

'Ik denk het wel.'

We klimmen tree voor tree de trap op. Ooit moet hij mij op deze trap hebben vastgehouden, geduldig wachtend tot ik mijn ene voet naast de andere zette, en dan de eerste voet weer op de volgende tree, en zo door tot ik boven was. Ik herinner me er niets van, misschien was het wel Lucinda die mij aan de hand nam toen ik leerde lopen.

Ik leg mijn vader met kleren en al op bed en trek een laken over hem heen. Hij draait zijn hoofd opzij en kreunt iets wat ik niet versta. Ik heb geen zin om te vragen wat hij zei. Ik word er moe van om die conversaties gaande te houden. Het zijn ook niet echt conversaties, het is elementaire informatieoverdracht, we komen niet verder dan praten over waar de tomaten liggen of hoe laat we naar het ziekenhuis gaan. De rest is zinledig.

Beneden valt de deur van de serre dicht. Mijn vader geeft geen kik. Snel sluit ik de gordijnen en kus hem op zijn voorhoofd, dan ga ik terug naar het restaurant.

Rico staat midden in de serre, autosleutel nog in zijn hand.

'Wil je wat drinken?' vraag ik.

'Hier?'

'Drank genoeg.'

Hij gaat op een barkruk zitten, terwijl ik een aantal flessen voor hem neerzet, whisky, wodka, gin.

'Heb je tonic?'

Ik mix twee gin-tonics en blijf zelf achter de bar staan. 'Wat was je van plan?' vraag ik hem.

'Waar heb je zin in?'

Ik loop naar de deur en draai hem op slot.

'Wat doe je?'

Ik pak zijn hand en trek hem mee, de trap op, naar mijn meisjeskamer en mijn oude eenpersoonsbed. Het voelt minder spannend dan ik had gedacht, het is eerder comfortabel, hoe we zoenen en elkaar zonder veel moeite uit onze kleren helpen.

'Hier was ik niet op uit,' zegt hij achteraf, dicht tegen mij aan onder de deken.

'Nee?'

'Ik vond het heerlijk, maar ik dacht dat we naar een film zouden gaan of zo.'

'Een film?'

'Of uit eten.'

'Alsjeblieft niet.'

Ik kruip tegen zijn borst en ontspan, laat me in het matras zakken, laat me omhelzen en beleef mijn lichaam, zoals ik dat de eerste nacht in dit bed ook deed, toen ik zo duidelijk mijn eigen afmetingen en lichaamstemperatuur voelde, omdat het smalle dekbed bij elke beweging delen van mij onbedekt liet. Ik vind het bevrijdend om los te zijn van mijn gedachten en gevoelens, gereduceerd tot mijn basale, fysieke zelf, niet meer dan een geordende verzameling atomen.

Ik krijg het warm. Dit bed is te klein, deze hele kamer is te klein voor twee volwassen mensen, mijn schuilkelder is overbevolkt en ik krijg bijna geen lucht meer. Ineens ben ik me bewust van mijn slapende vader in de kamer hiernaast en van de lege plek achter de bar en de flessen die ik heb laten staan. Dan denk ik aan de kamer aan de andere kant van de gang, met de doos duplo erin. Het is alsof de inhoud van die kamer zich uitstrekt over de dorpel, over de houten vloer, en onder mijn deur door naar binnen stroomt, een zwarte damp die mij in zich op wil slokken. Daardoorheen ruik ik Rico, hij is te dichtbij nu en zijn geur is houtachtig en penetrant, veel uitgesprokener dan Victors troostende zweem van koffie en oud zweet.

'Je moet gaan,' zeg ik.

Hij geeft geen antwoord.

Ik duw hem zacht van me af en hij valt uit bed.

'Wat?' zegt hij. Hij sliep al.

'Je moet gaan.'

'Waarom?'

'Omdat we hier niet met zijn tweeën kunnen zijn.' Ik sta op en trek mijn jurk weer aan. 'Pak je kleren, ik doe de deur van het slot.'

Even later komt hij beneden.

'Ben je boos?' vraag ik.

Hij staat nog onder aan de trap en zegt niets. Het is te donker om te zien of hij zijn schouders ophaalt, maar als hij mijn kant op loopt, is zijn lichaamshouding ongemakkelijk, hij beweegt door de serre alsof hij op zijn hoede is voor wilde dieren. 'Ik begrijp het niet,' zegt hij als hij naast me staat.

Ik kus hem op zijn wang en zwaai halfslachtig naar zijn rug als hij het terras oversteekt. Zodra hij is weggereden, pak ik mijn telefoon en autosleutels. Ik doe de lichten uit en sluit alles af.

Ik moet ademhalen.

136 Het zijn twintig smalle treden die ik moet afdalen om van de top van de rots in de grot te komen. Er is geen licht en de leuningen zijn nauwelijks dikker dan een vinger. Al zijn ze van staal, ze bieden weinig zekerheid en op de onregelmatige treden voel ik me wankeler dan ooit. Zelfs als ik al beneden sta, op de harde bodem van de grot, duurt het nog lang voor ik niet meer het gevoel heb dat ik elk moment kan vallen. Er verstrijken minuten, waarin de duizeligheid traag mijn hoofd verlaat, als mist die 's ochtends oplost in de zon.

Wanneer ik ten slotte mijn aandacht op iets anders kan richten dan het bewaren van mijn evenwicht, valt me op hoe helder de nacht is, ondanks de kleine maan. Aan de zijkant van de grot zit een natuurlijk venster, waardoor je overdag de zee ziet, een meter of dertig lager, en nu de nachthemel, een lichte vlek in vergelijking met de duisternis hierbinnen.

Ik ben opgewonden, op een manier die ik slecht kan duiden, maar die mij heeft overgenomen en waardoor het me zwaar valt om mijn eigen energie te kanaliseren. Mijn lichaam voelt gespannen, wat logisch zou zijn, alleen in een donkere grot, midden in de nacht, maar ik ben helemaal niet bang dat er iemand met kwaad in de zin zal opduiken.

De grot is niet groot. Ik laat mijn handen over de klamme wanden gaan en kan steeds meer onderscheiden, er komt genoeg licht van buiten om te zien dat er water op de bodem ligt, een paar meter bij mij vandaan. Ik weet dat het ondiep is. We kwamen hier vroeger met school en Dominic is een keer door het water gewaad. Daarna vertelde hij dat er aan de andere kant nog een heel stuk grot lag, met geheime hoeken en gangen, maar dat verhaal was ontsproten aan de zucht naar avontuur van een kind, in werkelijkheid strekt de ruimte zich maar een meter of drie uit voorbij het water.

Het raam van Odysseus. Zeven jaar lang heeft hij door die opening over de golven gestaard. Hoeveel grotten met dezelfde claim to fame zouden er zijn op eilanden in de Middellandse Zee? Ik heb ooit gelezen dat er genoeg stukjes hout van Jezus' kruis in kerken over de wereld bewaard worden om tien van die kruizen in elkaar te zetten. We vertellen maar wat, om toeristen te trekken, of pelgrims, of zieken die hopen te genezen. Uiteindelijk maakt iedereen een verhaal om voort te bestaan.

Ik ga op de bodem van de grot zitten met mijn rug tegen een zijwand en staar voor me uit, naar het donkere deel. Daar staat ze, in het restaurant, in het zonlicht dat door het dak van de serre valt.

Ik zit aan een tafel te tekenen. 'Waar ga je naartoe?' vraag ik.

'Ik ga weg.'

'Mag ik mee?'

'Dat kan niet.'

'Ik wil ook op vakantie.'

'Ik ga niet op vakantie, ik ga weg.'

'Waarheen?'

'Naar huis.'

Ik sta op en loop naar haar toe.

'Blijf daar!' Ze strekt haar armen uit, de handpalmen afwerend naar mij gekeerd. Ze heeft vaak gezegd dat ze weg zou gaan, maar nu heeft ze echt een koffer bij zich en dat maakt me bang.

'Maak het niet moeilijker.'

'Ik wil mee. Als je echt weg moet, wil ik mee.'

Ze zegt niks meer, tilt alleen haar koffer op en loopt naar buiten. Daar stapt ze in een taxi, die al stond te wachten.

Ik blijf staan, rechtop, zonder te bewegen, een uur, twee uur, ik weet niet hoelang.

Dan komt mijn vader binnen. Hij knielt voor me neer, legt zijn armen om mijn middel en zijn hoofd tegen mijn buik en begint te snotteren als een kind.

Ik ben moe geworden, van in het donker kijken en een plaats zoeken voor de dingen die naar boven komen en van het kiezen van wat ik toelaat.

Er is nog een versie. Daarin houdt ze zijn hand vast en ik vraag: 'Moet hij mee?'

Ze zegt: 'Natuurlijk, een kind van vier hoort bij zijn moeder,' en ze gaan samen weg.

Als ik mijn ogen sluit, kan ik hier best even slapen. De bodem is niet zo hard.

140 Nadat ik zo een tijd in de serre heb gestaan, worden mijn benen stijf en krijg ik het koud, hoewel de zon nog volop door het dak schijnt. Ik maak me los uit mijn vaders armen en duw hem van me af.

Hij blijft op zijn knieën zitten, zonder iets te zeggen of aanstalten te maken om te bewegen en ik weet dat ik hem dat moet vergeven, maar ik erger me aan zijn onvermogen.

Terwijl ik stilstond, voelde het alsof mijn besluitvaardigheid en energie achter Lucinda aan de deur uit liepen, maar dat wil ik niet toelaten. In de maanden dat zij in het ziekenhuis was, heb ik geleerd dat zwelgen je niks verder brengt. Je moet een nieuw plan maken, je bestaan invullen in de kaders van de nieuwe wereld.

Als eerste daad plak ik een briefje op de deur: 'Vandaag gesloten' staat erop.

Mijn vader hoort dat ik de sleutel omdraai en komt eindelijk overeind. Hij neemt twee flessen whisky mee naar boven en drinkt de rest van de dag op zijn kamer. Ondertussen klop ik alle tafelkleden uit, veeg de vloer, mop hem en ruim de keuken op. Pas tegen middernacht ga ik naar bed. Lange tijd lig ik wakker en denk aan alles wat ik kan doen. Lucinda's jurken aantrekken wanneer ik wil. De klanten als gastvrouw ontvangen, de lijsten met inkopen maken. Ik deed deze dingen al, maar nu kan ik ze doen zonder dat zij zich ermee bemoeit of ze verpest.

Op alle mogelijke manieren wil ik voorkomen dat ik aan haarzelf denk en op het moment dat mijn gedachten een vraag dreigen te formuleren, dwing ik ze een andere kant op, eerst naar het herbarium dat we voor school moeten aanleggen en waarvoor ik nog bloemen moet zoeken, later naar een schilderij dat ik wil maken aan de kust.

De volgende ochtend onder de douche blijf ik mijn lichaam schrobben met het blok zeep tot mijn huid droog wordt en begint te trekken, alsof hij te strak is geworden voor het lichaam dat eronder zit. Zelfs mijn gezicht maak ik schoon met die zeep, en mijn haar, dat er statisch van wordt, maar ik kan niet ophouden met boenen voordat ik me overal nieuw voel.

Ik trek een lichtblauw jurkje van Lucinda aan, dat in de badkamer over het handdoekenrek hangt. Het is te wijd voor mij, maar ik zie er fris uit, als een kraakheldere ochtend in het najaar. Ik doe mijn haar in een vlecht en loop naar mijn vaders kamer.

Hij ligt dwars over zijn bed, kleren nog aan, twee lege flessen naast zich, bewegingloos, alsof een kunstenaar hem, de flessen en het slordig opgepropte laken precies zo heeft neergelegd als onderdeel van een installatie. Het beeld verwart me. Een tijdje blijf ik op de drempel staan kijken naar de man die hier ligt als een afbeelding, iets buiten mij, niet mijn vader. Ik koester de afstand, die me kalmeert, bijna alsof ik er zelf ook niet ben. Maar hij is natuurlijk wel mijn vader en hoe ik ook probeer me alleen aan de esthetiek van de compositie vast te houden, ik word boos. Zijn slapte ergert me, maar dat is niet zo belangrijk. Achter die irritatie gaat een grotere, fundamentelere woede schuil, waar ik bang voor ben. Als ik hem toelaat word ik een klein meisje, een huilend, afhankelijk kind.

142

Ik stap de kamer in, met mijn hand voor mijn neus en mond om niet te kokhalzen van de geur, en open de ramen. Buiten is de lucht koel, de wind komt uit het noorden en de dag is grijs. De alcohollucht verdwijnt en terwijl ik wacht tot mijn vader zijn ogen opent, ebt mijn boosheid weg. Ik moet hem helpen, daar komt het nu op aan. Hij moet de schok verwerken en als dat gebeurd is, moet hij een nieuwe routine vinden. Hij heeft mij nodig. Ik kan ervoor zorgen dat hij dit niet elke dag doet.

'Je moet opstaan. Alfred. Al-fred.' Ik proef de lettergrepen, allebei beklemtoond, pauze ertussen, zoals mijn ouders mijn naam uitspraken als ze me voor de derde keer riepen.

Hij blijft op zijn buik liggen, met zijn ogen op de grond gericht. Ik weet niet eens of hij ze open heeft.

'Sta nou op. Ik kan niet rijden.' Als ik het kon, zou ik hem hier laten liggen en het allemaal zelf doen.

'Kom op nou.'

'Trek die jurk uit.' Dat is alles wat hij zegt en hij krult zich op het bed ineen als een baby.

Ik blijf aan zijn been trekken, tot hij uiteindelijk opstaat en zonder iets te zeggen naar de badkamer strompelt. Ik volg hem en kijk hoe hij de kraan helemaal opendraait, tot het water eruit spuit, een handeling die te gewelddadig voor hem is.

Hij houdt zijn handen onder de straal, buigt zich diep en plenst het water in zijn gezicht. 'Ik wil die kleren niet meer zien,' zegt hij.

Ik trek een spijkerbroek en een T-shirt aan. Ik moet geduldig zijn, zeg ik tegen mezelf, hij heeft meer tijd nodig, hij is niet zo snel als ik. Hij moet zijn woede kwijtraken voor hij de nieuwe werkelijkheid kan accepteren. Ik heb hem nooit zo boos gezien. Gekwetst is een beter woord, denk ik, en woest, boos is te mild.

Wanneer ik terugkom in hun slaapkamer, staat hij voor de kast met een jurk in zijn handen. Al Lucinda's kleren trekt hij uit de kast en hij stopt ze in de dekenkist. Het doet me niks om ze te zien verdwijnen. Ik blijf kijken, om zeker te weten of ik niet alsnog stiekem verdrietig word. Het duurt allemaal niet lang, hooguit een minuut of vijf. Als al haar kleren in de kist zitten, haal ik het jurkje dat nog op mijn bed ligt en doe het erbij.

Ik ga terug naar mijn kamer en maak een lijst van de voorraden die we nodig hebben, tot ik mijn vader met de kist op de gang hoor.

'Zal ik je helpen?' vraag ik.

'Nee.' Hij trekt het ding tree voor tree achter zich aan de

trap af, vijftien doffe klappen tot hij beneden is. Daar zet hij hem midden in de serre.

De blik in zijn ogen maakt me ongerust. Ik heb ooit een close-up gezien van een oude leeuw in een natuurdocumentaire en in zijn ogen lag dezelfde onberekenbaarheid die ik nu bij mijn vader zie. Die leeuw beet later een van zijn jongen dood.

Mannen en hun driften. Onze hoofdmeester heeft in mijn laatste jaar op de lagere school zijn schoen zo hard naar Dominic gegooid, dat de ruit achter hem sneuvelde. Het kwam uit het niets, de hoofdmeester zag er precies zo uit als anders, tot hij zich ineens bukte en met één beweging zijn schoen van zijn voet schoof en hem richting Dominic gooide. De schoen ging een meter naast, maar Dominic was te geschrokken om de meester uit te lachen.

Op het schoolplein zeiden sommige ouders dat de hoofdmeester zijn baan alleen hield omdat Dominic alle schuld op zich had genomen. Ik vond het niet getuigen van veel inzicht dat iemand de hoofdmeester weg had willen sturen. Hij behandelde ons als individuen, sprak nooit tegen ons alsof we één massa waren die in zijn geheel goed of slecht was, zoals andere leraren deden als ze iets twee keer moesten uitleggen of ons te rumoerig vonden.

De gebeurtenis met de schoen was een anomalie, niet meer dan een oprisping die volledig buiten het normale lag. Ik vond dat we haar het beste konden vergeten en verder gaan.

Mijn vaders blik valt op een stoel en hij wordt rustiger, minder onvoorspelbaar, alsof hij heeft gevonden wat hij zocht. Hij pakt met twee handen de rugleuning, tilt de stoel boven zijn hoofd, en slaat ermee tegen de kist. Na drie slagen heeft hij alleen nog het bovenste latje van de rugleuning in zijn handen. Hij laat het op de grond vallen, tussen de overige resten van de stoel, en schopt tegen de kist. 'Dit ding moet hier weg,' zegt hij. 'We moeten hem wegbrengen.'

'Goed, ik help je en daarna doen we boodschappen.' Als de kist weg is, zal hij zich weer normaal gedragen.

32

146   Ik word wakker met een stijve rug. Nu het licht is, kan ik de grot beter zien. De plas water is maar klein en de totale ruimte is niet groter dan vijf bij vijf meter. Gek genoeg krijg ik het veel benauwder dan toen het nog donker was en ik klim zo snel mogelijk de trap weer op. Ik start mijn auto en luister naar het geluid van de stationair draaiende motor. Geleidelijk neemt mijn ademhaling zijn tempo over. Pas als het gejaagde gevoel helemaal verdwenen is, rijd ik weg.

Ik wil schilderen, geen haven of iets dergelijks, maar een plek waar geen mensen zijn. Ik mis de concentratie en de kleine afmetingen van de wereld achter het doek. Het is als ademhalen, als ik het te lang niet doe, ga ik dood. Dat vertel ik mezelf al sinds Lucinda is vertrokken.

Nu ik weet wat ik deze ochtend ga doen, voel ik me kalm. Ik hoef niks, alleen mijn vader helpen en schilderen. Het is lang genoeg mijn routine geweest om het ook nu weer te kunnen volhouden.

Ik rijd in een halfuur naar de zoutpannen, via de route langs de kust. Onderweg kom ik een busje tegen, verder niets en overal zijn de puien dicht en de lichten uit. Alleen in Marsalforn is een kleine winkel open. Ik haal een pak cream crackers en een fles water. Onderweg prop ik de ene na de andere cracker in mijn mond, tot ze aan mijn gehemelte plakken en ik bijna niet meer kan slikken. Ik klem de fles tussen mijn knieën, draai met één hand de dop open, en spoel de klomp half opgelost zetmeel weg. De smaak van de kale crackers bevalt me, geen opsmuk, geen suiker, alleen meel, water en zout.

Bij de zoutpannen pak ik mijn veldezel achter uit de auto. Ik zet hem aan de kant van de weg, in een droge zoutpan, en loop terug om mijn kist met verfspullen en een opgespannen doek te halen. Thuis had ik er drie in mijn auto gelegd en ik vraag me af of dat genoeg zal zijn, maar dat hangt uiteindelijk allemaal van mijn vader af. Ik weet niet wat hij precies van me verwacht. Misschien dat ik zijn hand vasthoud als hij sterft.

Dat lijkt me een grote luxe, sterven terwijl je vastgehouden wordt.

De ochtendzon is fel en de zoutpannen weerkaatsen het licht. Vroeger stond ik hier uren achtereen te schilderen zonder ergens last van te hebben. Nu krijg ik hoofdpijn van het knijpen met mijn ogen. Ik kwam hier vaak en er zijn heel wat dagen geweest waarop ik Daniël meenam. Ik hoef niet eens mijn best te doen om zijn tentje hier naast me te zien.

Daniël zit in de schaduw van het halfronde ding, een witte zonnehoed op zijn hoofd en bij zijn voeten een emmer en schep en een grote, plastic kiepauto, maar hij vindt mijn verf-doos het interessantst.

'Welke kleur moet ik nu gebruiken?' vraag ik aan hem.

Hij laat peinzend zijn hand over de tubes gaan, langs de gekleurde stickers die op hun bolle, stalen huid geplakt zijn, en reikt mij uiteindelijk roze aan.

Ik hurk naast hem neer en neem de tube in mijn hand. 'Roze is een mooie kleur, maar ik heb nu een andere nodig.'

'Wil je niet roze?'

'Doe maar blauw.'

148 Hij pakt een tube kobalt, de kleur van de lucht op elke kin-dertekening, en geeft hem sip aan mij. Zijn serieuze gezicht is gesloten, terwijl hij mij daarnet nog met grote, open ogen aankeek. In mijn hoofd hoor ik mijn vader zeggen: 'Je moet hem niet steeds zijn zin geven.' Hij zegt regelmatig dat ik Daniël te veel zijn gang laat gaan, maar ik vind dat jonge kin-deren best mee mogen praten en mee mogen bepalen. Ze zijn niet minder mens dan volwassenen.

'Eigenlijk heb ik ook roze nodig.'

'De mooiste kleur,' zegt Daniël vol overtuiging.

Ik meng hem met veel wit en verwerk hem in de lucht.

Totdat hij naar school gaat, blijft roze zijn lievelingskleur, dan wordt het rood. Hij heeft goed begrepen dat er meer kleuren in een schilderij gaan, en hij zoekt elke keer een nieu-we tube voor me uit. 'Deze hebben we nog nooit gehad,' zegt hij dan, en hij kijkt vol spanning toe als ik de tuit doorprik, omdat hij wil weten hoe de verf eruitziet als hij naar buiten komt. 'De verf glimt.'

'Mooi hè?'

'Waarom blijft verf niet zo?'

'Omdat hij opdroogt.'

'Ik word verdrietig als hij opdroogt.'

Ik kus hem op zijn wang en zeg: 'Ik ook. Daarom moet ik steeds nieuwe schilderijen maken.'

Ooit moet ik daarmee begonnen zijn. Met schilderen, dat weet ik nog, dat was toen ik acrylverf kreeg voor mijn verjaardag. Tekenen kon ik al. Nooit heb ik erover nagedacht wie me dat geleerd heeft, ik deed het gewoon. Maar het zal zo geweest zijn als mijn vader vertelde, dat ik het van Lucinda heb geleerd.

Mijn vader zelf maakte geen dingen, althans geen nieuwe. Hij maakte wel elke avond dezelfde visgerechten en konijnschotels. Ik heb hem een keer een recept gegeven voor een curry. Hij is er een halve middag mee bezig geweest, en gooide toen de inhoud van de pan weg. 'Daar komen onze gasten niet voor,' zei hij. Het is de enige keer geweest dat ik hem zag experimenteren. De inrichting van het restaurant heeft hij nooit veranderd. Hij onderhield alleen wat bestond, dweilde, poetste, verfde het uithangbord.

Goed worden in tekenen vereist niet alleen de wil om iets te maken, maar ook eindeloze oefening, steeds weer hetzelfde tekenen tot het lukt, steeds dezelfde bewegingen maken met je hand, meer of juist minder druk op het potlood, tot je een pose, een beeld, een techniek in de vingers hebt. De wil van mijn moeder en het vermogen om eindeloos te herhalen van mijn vader. De combinatie van hun eigenschappen heeft me de schilder gemaakt die ik ben. Zo cliché. Maar het zijn mijn eigen ogen waar ik mee kijk en als je niet goed kunt kijken, wordt het niks.

Ik leg mijn penseel weg, doe een stap naar achter en bestudeer mijn doek. Het lijkt een gefotoshopte ansichtkaart. Dit schilderij is voor niemand, geen opdracht van Victor, geen bestelling van een klant, het gaat niet mee terug naar de galerie, het hoeft niet verkocht te worden. Ik weet niet meer wat ik zelf zou willen maken.

150 Eén voor één pak ik de tubes op. Ik weet precies wat eruit komt en trouwens, hun openingen zijn allemaal allang doorgeprikt. Op kleur leg ik ze terug, van koel naar warm, alsof de verfkist net uit de winkel komt. Ik doe het deksel dicht en loop met de kist naar mijn auto. De veldezel en het schilderij laat ik staan.

33

Ik heb alle kamers doorzocht, maar mijn vader is er niet, terwijl de bestelauto naast het restaurant staat. Hij heeft geen
briefje achtergelaten en ik vraag me af waar hij naartoe kan
zijn. Misschien maakt hij een wandeling. Ik ben er niet gerust
op, hij is niet in staat om een heel eind alleen te lopen en dat
weet hij zelf ook. Waarom heeft die man geen mobiel? Nu kan
ik alleen maar wachten.

Ik heb geen idee welke kant hij op gegaan zou kunnen zijn.
Waar zou hij aan denken onder het lopen? Aan mij? Zo'n
dochter, die ineens weer dag in, dag uit om je heen is, die met
haar bewegingen jouw gebaande paden doorkruist. Mijn
hulp is niet wat hij ervan verwacht had. Ik zou bezorgd moeten zijn. Ik zou in paniek moeten raken. Dat zou een goede
dochter doen.

Ik moet denken aan de hond die onze buren hadden, vroeger, ruim voordat Ella en haar man naast ons kwamen wonen. Ik was een jaar of vijf en de hond was oud. Het beest lag
elke dag op het terras naast het onze en keurde mij geen blik

waardig als ik buiten speelde, maar op de dag dat hij weg was, voelde ik me niet op mijn gemak. Hij hoorde er te zijn, zoals alle dingen in een kinderwereld hun vaste plaats hebben.

Ze vonden hem later terug, misschien op dezelfde dag, misschien een paar dagen later, dat weet ik niet meer. Het beest was ervandoor gegaan en had zich op een verlaten plek verstopt, in de schaduw. Hij was dood.

Aan mijn moeder vroeg ik waarom de hond was weggelopen. 'Hij wilde sterven, schat. Hij was op,' zei ze.

Ik begreep niet hoe een hond op kon zijn en ik begreep ook niet wat dood was of sterven, behalve dat het iets was waar mijn ouders me voor waarschuwden, als ze vonden dat ik te ver de zee in ging of als ze een doosje lucifers uit mijn handen pakten. Na verloop van tijd besefte ik dat de hond niet terugkwam. Ik kan me niet herinneren dat ik daar verdrietig over was, volgens mij accepteerde ik de nieuwe situatie vrij gemakkelijk. Het was ook maar een hond.

Misschien is mijn vader de heuvel op geklommen. Vroeger zat hij vaak op de vlakke top, in een stoel die hij meesleepte van het terras. Hij keek over zee naar een continent dat hij niet kon zien. 'Die wereld is hebzuchtig. Kapitalisme regeert. Iedereen wil de eerste zijn. Liefde is er schaars.'

Ik hoor het hem nog zeggen. Veertien of vijftien was ik, toen ik vroeg waar hij toch steeds aan dacht als hij over het water staarde. Liefde is hier ook schaars, wilde ik antwoorden, maar ik hield het voor me en probeerde te bedenken waarom hij de hele tijd keek in de richting van iets wat hij verafschuwde. Ik snapte wat zo veilig voelde aan Gozo, al was alles wat hij noemde hier ook aanwezig, maar ik weigerde zijn angst voor de wereld te delen. 'We gaan koken,' zei ik tegen hem, 'er komen gasten.'

Hij is nu niet op de heuvel, ik kan de top zien vanuit de serre. Als hij die kant op is gelopen, is hij verdergegaan en loopt hij nu alleen in de felle zon over de kale rotsen, kijkend naar het water, struikelend over de onregelmatige bodem. Er is daar nergens schaduw.

Ik ga aan een van de voorste tafels in de serre zitten, zodat ik goed zicht heb op de weg langs zee en hem van ver kan zien aankomen. Mijn hoofd doet nog pijn van de zon. Ik wil niet opstaan, alsof ik door hier te zitten de situatie zou kunnen bezweren en hem zo snel mogelijk deze kant op zou kunnen lokken, maar op een gegeven moment wordt de hoofdpijn te zwaar. Ik ga naar de badkamer om pijnstillers te pakken en heb de tabletten net ingeslikt als mijn telefoon gaat, die ik beneden op tafel heb laten liggen. Ik ren de trap af, maar hij is opgehouden met rinkelen voordat ik er ben.

De buurvrouw staat in de serre. 'Waar was je?' is het eerste wat ze zegt.

Ik geef geen antwoord en kijk op het scherm van mijn telefoon. Victor probeert het weer.

'We konden nergens een nummer van je vinden.'

Een kind van een jaar of vier duwt een plastic vrachtwagen vol zand naar binnen. 'Vroem, vroem,' zegt hij en hij maakt aanstalten om de bak van de vrachtwagen leeg te kiepen onder de tafel waar ik net aan zat.

Ik loop op hem toe en wil op mijn knieën zakken om met hem het zand over de vloer uit te spreiden.

'Nee, Teddy, naar buiten!' roept de buurvrouw.

Haar zoon maakt rechtsomkeert met zijn speelgoedauto, zonder dat ik de kans heb gekregen om hem goed te bekijken en me voor te stellen. Teddy is hun middelste. Ik zou de oudste graag zien, die moet nu zes of zeven zijn. Ik kijk vaak naar jongens van die leeftijd als ze bij mij in de straat spelen, in een groepje achter elkaar aan rennend met takken die ze gevonden hebben of racend op hun fietsen. In de speeltuin komen ze niet meer, in elk geval niet met hun moeders of vaders.

Als ik naar die jongens kijk, kan ik me een voorstelling maken van Daniël ouder dan vier.

'Je vader is opgehaald met een ambulance.'

Ik ga zitten. 'Waarom heeft niemand mij gebeld?'

'Op welk nummer?'

'Dat heeft Alfred.'

'Hij is gevallen.'

Ik dacht dat ze zou zeggen dat hij erge pijn had. Plotselinge misselijkheid, of dat zijn darmen het niet meer konden houden. Maar voor al die dingen heb je geen ambulance nodig. Gevallen. Dat kan ook gewoon gebeuren. 'Heb jij het gezien?'

'Hij was bewusteloos. Je moet het ziekenhuis bellen.' Ze lijkt te wachten tot ik iets zeg, maar ik zou niet weten wat.

Uiteindelijk knik ik maar, omdat deze stilte me te lang duurt. Ik wil dat ze me alleen laat.

'Ik heb het nummer voor je opgeschreven.' Ze legt een papiertje voor me op tafel.

'Dank je.' Ik kijk naar het tafelblad tot ze naar buiten loopt.

De cijfers staren me aan, ze zijn rood, alsof ze tegen me schreeuwen dat ik een slecht kind ben. Alleen heeft ons gezin geen normale gezinsleden, voor ons is het niet mogelijk om jezelf te diskwalificeren als kind, of als ouder. In elk geval niet meer dan een van de anderen heeft gedaan, dus wat heb je dan nog aan zulke categorieën? Alleen Daniël was onschuldig.

Met in mijn ene hand de telefoon en in mijn andere het papiertje, kijk ik naar de plek waar de buurvrouw net stond. Het is dezelfde plek waar mijn vader de kist had neergezet, nadat hij hem met de spullen van Lucinda had gevuld. Op de tafels liggen de geel-groene kleedjes die er toen ook al lagen. Die moet hij in de afgelopen tweeëntwintig jaar een keer vervangen hebben, maar dan koop je toch niet precies dezelfde?

34

Ik ben nooit met mijn vader bij de loods van Pa Mitchell geweest. We reden er samen naartoe om de kist weg te brengen,
maar ik ben er niet aangekomen. Dat grote, halfronde bouw-
werk van golfplaten heb ik bedacht. Het speelde een rol in het
verhaal dat ik aan Cathy en Alessandra vertelde, en later aan
Martini.

God mag weten wat mijn vader tegen Martini heeft gezegd.

Wat ik uit mijn leven heb geknipt, begint met een rit in de
bestelauto. Mijn vader achter het stuur, ik ernaast, de grote
portemonnee in mijn handen geklemd. Achterin de kist met
Lucinda's kleren. We brengen hem naar een oude boer die
allemaal rotzooi opslaat en daarna gaan we naar de markt.

Terwijl we rijden, is het alsof ik boven de auto hang en door
het dak naar binnen kijk. Het is een vreemde gewaarwording
om mijn eigen leven van zo'n afstand te observeren, maar het
geeft me een prettig, neutraal gevoel, alsof deze dingen buiten mij om gebeuren en ik er part noch deel aan heb. Ik zie een

jonge meid in de auto zitten, nee, een vastberaden jonge vrouw, die haar vader erdoorheen sleept, die ervoor zal zorgen dat hij niet in een afgrond stort.

Het is verleidelijk om bij dit beeld weg te dromen, maar ik kan er niet in blijven hangen. Ik concentreer mijn gedachten op de boodschappenlijst door na te gaan of ik niks ben vergeten. Ondertussen kijk ik uit het raam. We komen bij het kaalste stuk van het eiland en mijn gedachten drijven af van de keuken, waaien over het gesteente, verdwijnen boven de zee. Naast me zakt mijn vader steeds verder ineen. Hij draagt zijn zonnebril, al is het de meest grijze dag die ik in tijden gezien heb. Ik draai het raam open omdat hij naar drank stinkt.

De weg loopt hier vlak langs de rotsen. Mijn vader slingert de rechterweghelft op, alsof hij nog te dronken is om te sturen.

'Moeten we even stoppen?'

Hij zegt niks en de auto rijdt verder, schuin naar rechts, van de weg af, richting zee.

Ik hoor losliggende stenen knisperen onder de banden en word bang dat hij de macht over het stuur verloren is, dat hij in slaap is gevallen of bewusteloos is geraakt door de drank.

Hij schakelt terug. Zijn knokkels zijn wit, al het bloed is uit zijn handen weggetrokken.

Ik vind mezelf terug naast de auto, steunend op mijn knieën, happend naar adem. De auto staat met een lekke band in een kuil. De motor reutelt niet meer. Het duurt een paar minuten voor ik weer om me heen durf te kijken. De rand van het klif

is niet meer dan tien passen van ons verwijderd. Ik loop er-
naartoe en kijk naar beneden langs de rotsen. Of het twintig
of dertig meter steil omlaag is tot de zee weet ik niet, maar het
is genoeg. Ik word misselijk en ga op een grote steen zitten.
Met moeite houd ik mijn ontbijt binnen, terwijl ik alleen maar
let op mijn ademhaling, rustig en diep tot de misselijkheid
verdwijnt.

'Sorry.' Mijn vader is uit de auto gekomen zonder dat ik
hem heb gezien of gehoord. Hij heeft nog steeds zijn zonnebril op en zakt als een slappe doek in elkaar op de puntige
grond naast mijn steen.

We blijven zo zitten met zijn tweeën, tot zijn hoofd hem te
zwaar wordt en hij het in mijn schoot legt. Hij valt in slaap en
ik streel zijn haren, zonder gedachten te wijden aan waar ik
mee bezig ben. Het is een vettige warboel vol klitten en ik blijf
er met mijn vingers doorheen strijken, langzaam, om hem
niet te wekken, tot de strengen ontknoopt zijn. Ik kan niet
denken aan wat er net gebeurd is, dus ik blijf over zee staren
en probeer mijn fantasieën op afstand te houden door me te
concentreren op de regelmaat van de golfslag.

Als ik een tijd zo gezeten heb, hoor ik een auto naderen. Hij
stopt achter ons en al weet ik niet wie erin zit of wat ik zo zal
zeggen, ik ben opgelucht dat de wereld ons weer gevonden
heeft. Ik kijk om. De auto is een roestige pick-uptruck en de
bestuurder een man die een jaar of twintig ouder is dan mijn
vader. Hij stapt uit en wijst op de bestelauto in de kuil. 'Wat is
er gebeurd?'

'Lekke band,' zeg ik.

'Maar wat doen jullie zo ver van de weg?'

'Van het uitzicht genieten.'

'Dan heb je geen hulp nodig, denk ik.' Hij draait zich om en begint terug te lopen naar zijn truck.

Ik duw mijn vader van me af, die maar half wakker wordt, en gris de portemonnee van de bijrijdersstoel. 'Wacht. Ik moet naar de markt.'

'En die kist dan?'

'Hoe weet u dat?'

'Ik wacht al bijna een uur op jullie.'

'U bent meneer Mitchell.'

'Inderdaad. Maak je vader maar wakker.'

'Nee. Ik moet boodschappen doen en daarna moet ik terug naar ons restaurant.'

Pa Mitchell glimlacht. 'En hij?'

'Mijn vader blijft hier om op de auto te passen. Als we terug zijn, kunnen jullie met die kist doen wat jullie willen.'

Ik stap in bij Pa Mitchell. Hij rijdt me naar de markt, wacht terwijl ik boodschappen doe en zet me af bij ons restaurant met mijn kratje tomaten, zakjes tijm en andere spullen. 'Ik regel het wel met je vader,' zegt hij.

Ik dek de tafel en zet alles gereed in de keuken. Tegen de avond is mijn vader terug. Hij maakt vis klaar en konijn en wat de klanten maar willen. Hij stinkt nog steeds en ik bedien iedereen en vertel dat mijn moeder een poos weg is, maar daar kijkt niemand van op.

We praten nooit meer over die middag, omdat we er niks over zouden kunnen zeggen, hij niet en ik niet, het is te ver buiten de werkelijkheid zoals wij die kennen. Het is niet gebeurd.

35

Het gaasverband om zijn hoofd ziet er veel te onschuldig uit, zoiets hoort bij een kind dat zijn hoofd heeft gestoten en dat over een halfuur weer rond zal rennen met zijn vriendjes. Onder het verband zit een steriel doekje, dat de snee bedekt die hij heeft overgehouden aan zijn val.

'Sorry, Alfred.' De huid van zijn wang is zo slap dat hij aan mijn vinger kleeft als ik hem streel. Het verbaast me hoe dun die huid is, alsof hij elk moment zou kunnen oplossen.

'Je mag dit op zijn gezicht smeren.' De verpleegkundige drukt een pot crème in mijn handen. Hij heeft gezien hoe ik keek en probeert me iets te geven om te doen.

Ik smeer mijn vaders huid in met het vet. Hij lijkt te slapen, maar dat is niet zo, dan zou hij reageren. Het is beangstigend om zo aan iemands hoofd te zitten en te merken dat het met elke aanraking meebeweegt, zonder tegendruk te geven of te draaien.

Aan de verpleegkundige vraag ik of mijn vader bewusteloos is door de val. 'Dat kan de arts je vertellen,' zegt hij.

Ik moet naar een kamer achter zo'n groene deur. Ik had er wel op gerekend dat ik daar weer terecht zou komen, maar samen met mijn vader, zoals vroeger, en niet in mijn eentje terwijl hij buiten bewustzijn in een bed ligt.

Als ik zijn gezicht, hals en handen heb ingevet, geef ik hem een kus op zijn voorhoofd en loop het nieuwe deel van het ziekenhuis uit, in de richting die de verpleegkundige me heeft gewezen. De gangen in het oude deel zijn nog hetzelfde als in mijn herinnering, de onderste helft van de muren groen geschilderd, de verlichting slecht, met tl-lampen die te ver uit elkaar hangen. Het licht werpt me terug in de tijd dat ik hier als meisje liep en ook nu, net als toen, ben ik opgelucht als ik aan het eind van een gang kom, omdat daar grote ramen zijn, waardoor het daglicht als een warme douche over me heen valt.

Ik heb een fout gemaakt, ben ergens te vroeg of te laat afgeslagen, want ik sta opeens in de hal bij de ingang. Door de schuifdeuren zie ik mezelf binnenkomen, een klein kind, mijn hand in die van mijn vader. Het beeld is zo sterk dat ik er duizelig van word en met mijn ogen moet knipperen om het te scheiden van de werkelijkheid. Dat lukt maar half, tussen alle bezoekers en artsen door blijf ik mezelf zien.

Moe ga ik in een van de kuipstoelen zitten. Het zijn dezelfde dingen van wit polyester als vroeger, alleen groezeliger. Een nieuwe vleugel hebben ze gebouwd, maar geld om die oude stoelen te vervangen was er blijkbaar niet.

Een vrouw in een witte jas komt naast me zitten. 'U bent de

dochter van Alfred Koster?' vraagt ze.

'Ik had bij hem moeten zijn.'

'U had dit niet kunnen voorkomen.' Ze kijkt langs me heen als ze dit zegt. Misschien heeft ze dit zinnetje al te vaak uitgesproken, zegt ze het op de automatische piloot terwijl ze denkt aan de boodschappen die ze nog moet doen voor ze naar huis gaat. Of ze wil me niet aankijken.

'Als ik er was geweest, had ik jullie eerder kunnen bellen, meteen toen hij viel.'

'Aan die val heeft hij alleen een paar schrammen overgehouden. Er vallen steeds meer hersenfuncties uit, dat is het patroon. U kunt het beste naar huis gaan en proberen te rusten.'

'Moet ik niet bij hem blijven?'

'We geven hem morfine. Als er iets verandert, bellen we. Gaat u rusten en komt u later terug.'

Ik weet niet of ze echt vindt dat ik uit moet rusten, of dat ze het alleen makkelijker voor me maakt, maar ik ben opgelucht als ik het ziekenhuis verlaat.

164 Terug bij het restaurant weet ik niet wat ik met mezelf aan moet. Zin om in bed te kruipen, heb ik niet. Met de fles Blue Curaçao en een hoog glas gevuld met ijs, ga ik aan de ronde tafel zitten, op mijn vaders stoel. Soms denk ik dat zijn leven al lang geleden is geëindigd, of in elk geval gestold.

Ik ben een jaar of vijftien als we samen naar Victoria rijden, om wijn te halen. Dat doen we om de dag. Mijn vader parkeert de bestelauto half op de stoep voor Wills wijnhandel. De luiken van het gebouw zijn dicht en alleen aan het koperen bord zie je wat voor winkel hier zit. Ik heb al vaak gezegd dat ik het veel te duur vind om steeds heen en weer te rijden voor een paar dozen wijn, maar hij blijft erop staan om het zo te doen.

Binnen, in de klamme kelder, pakt hij een doos witte wijn, de aanbieding van de week. Hij zet hem op de toonbank en wijst een doos rood aan, die ik ernaast zet.

Will verschijnt tussen een vat en een stapel dozen.

'Hé,' zegt mijn vader.

Will knikt.

'Hoe gaan de zaken?'

'Zozo.'

Gwen, Wills vrouw, komt uit de achterkamer tevoorschijn. Haar krullen lijken op die van Lucinda.

'Ik help wel,' zegt ze.

Ik kijk toe hoe haar vingers zich onder de bodem van de doos witte wijn vouwen. Mijn vader neemt de doos rood en ik volg met lege handen. Ineens ben ik een toeschouwer, terwijl ik alles samen met hem heb gedaan sinds Lucinda's vertrek.

Samen zetten ze de dozen in de auto. Ze blijven staan praten tussen de geopende achterdeuren, terwijl ik tegen de zijkant van de auto leun en steentjes het plein op schop. Ik kijk over mijn schouder, door het raampje in de achterdeur, en zie ze zoenen. Op dat moment doet mijn vader zijn ogen open en ziet me naar hem kijken met een blik alsof ik zojuist zure melk heb geproefd.

We rijden zwijgend naar huis. Wijn kopen we daarna nooit meer bij Will, voortaan bestellen we bij dezelfde leverancier als de buren, dat is makkelijker en goedkoper. Hij brengt één keer per week een aantal dozen langs.

Maar mijn vader had een leven kunnen hebben na Lucinda.

166 Ik sta voor school met Dominic te praten als mijn vader me komt ophalen met de bestelauto. Normaal doet hij dat nooit, ik loop altijd naar huis. Hij wacht geduldig tot ik afscheid heb genomen van Dominic, en opent dan het portier voor me.

'Ga je weer met hem om?' vraagt hij, als ik naast hem zit.

'Hoezo?'

'Je moest jarenlang niks van hem weten.'

Mijn vader heeft er nooit eerder iets over gezegd. Alessandra en Cathy praten er ook niet over. We zitten niet langer op de basisschool en het is niet cool meer om je bezig te houden met de vrienden van je vrienden. Niet hardop in elk geval en de subtiele manieren hebben op mij geen vat meer.

'Waarom kom je me halen?'

'We gaan iets spannends doen.'

Om de verrassing niet te bederven, houd ik mijn ogen dicht, zodat ik niet kan zien waar we naartoe rijden. Het is fijn om met gesloten ogen in de wagen te zitten en de sensatie van beweging extra goed te voelen, alsof ik willoos word meegevoerd, gewiegd door een warme, onzichtbare oermoeder.

Ik word wakker wanneer de auto stopt. We zijn aan de zuidkust, in Xlendi, bij het vissersstrandje, en voor ons ligt de boulevard. Ik heb Lucinda's filmscène al jaren niet meer gezien, maar elke keer als ik op een plek als deze kom, speelt haar wandeling zich voor mijn ogen af alsof ik erbij sta, de lome tred, de wapperende haren. De scène is met de jaren zinderender geworden, terwijl ik zeker weet dat het beeld dat ik in mijn hoofd heb frame voor frame hetzelfde is als in de film. Ik ben het die ouder is geworden, ik zie de seksuele spanning in dat shot van een loom wandelende vrouw. Je ziet wat je bent.

De boulevard hier is niet meer dan een smalle, teleurstellende straat langs het water in vergelijking met die in mijn moeders film. We gaan op het terras aan het andere eind zitten, naast een muur die ons ervoor moet behoeden in zee te vallen, zo'n drie meter lager.

'Wil je een taartje?' vraagt mijn vader.

Tegen de tijd dat de ober het gebak brengt, is er een zachte bries opgestoken. Ik ben blij dat ik een wollen rok en dikke kousen draag en vraag me af wat mijn vader bezield heeft om een strohoed op te zetten met dit weer. Misschien is hij bang voor de zon in zijn ogen.

Ik neem net mijn laatste hap als ik een motorboot hoor. Even later verschijnt hij tussen de kliffen. Hij vaart de inham in, recht op ons af, de boeg hoog uit het water, Martini's hoofd achter het windscherm. Vlak voor de kant stuurt Martini opzij en de achtersteven van de boot stuwt een hoge golf tegen de kademuur.

Hij laat de boot naast ons dobberen. Het dek is van glimmend gelakte latten en op de achtersteven staat in gouden letters 'Rosa' geschilderd.

Ik leun over de muur. 'Wie is Rosa?'

'Die naam hoort bij de boot. Nooit veranderen, zeggen ze.'

'Is ie tweedehands?'

'Classic, baby. 1953.'

'Zo oud? Hij kan vast niet hard.'

'Kom maar proberen.'

Bij de steiger naast het vissersstrandje klimmen we aan boord. Ik zit naast Martini op de witte leren kussens en mijn vader zit op de bank achter ons. We varen de inham uit en zodra we voorbij de rotsen zijn, lacht Martini naar me en zegt: 'Houd je vast.' Hij duwt twee hendels naar voren en de boot schiet vooruit. 'Woehee!' schreeuwt hij en ik lach hardop, het is spannend, maar vooral lekker, razen over de golven met waaiers opspattend water links en rechts van ons. Martini draait een rondje op volle snelheid en ik kijk om, naar mijn vader, die zijn strohoed met twee handen vasthoudt en zijn kaken stijf op elkaar drukt.

'Woehee!' roep ik.

Martini gaat langzamer varen. 'Zullen we van plaats ruilen?' Hij staat op, drukt zich tegen het stuur aan en ik glijd onder hem door. 'Het is heel makkelijk. Met het stuur stuur je en die hendels zijn voor de motoren.'

Mijn vader probeert iets te zeggen, maar voordat ik zijn woorden kan verstaan, leg ik mijn hand tegen de hendels en duw ze langzaam vooruit. Het grommen van de motoren zwelt aan tot gebrul en de boot stampt met zijn boeg op de golven als een opgewonden paard op het zand. Ik duw de hendels verder, tot ze in hun uiterste stand staan en de boot over het water scheert, het geluid van de motoren één geworden met dat van de wind en de zee en mijn stem.

38

170   Elke beweging is een immense opgave. Ik zit aan de ronde
tafel en drink langzaam van de Blue Curaçao. Ik probeer me
zo min mogelijk bewust te zijn van mijn omgeving, want elke
keer als ik die toelaat, lijken de muren op me af te komen. Een
vreemde uitdrukking om te gebruiken in een serre, met zijn
glazen wanden en uitzicht over zee, maar het panorama om-
sluit me alsof de lucht en het water ondoordringbare muren
zijn.

Ik probeer me terug te trekken in mijn gedachten, maar dat
helpt niet, zodra ik dat doe zie ik mijn vader in zijn ziekenhuisbed liggen en voel ik mijn vingers tintelen van de aanraking met zijn huid. Ik wrijf met mijn duim over mijn vingertoppen in een poging de herinnering eruit te masseren. Het
werkt niet.

Ik blijf drinken en met elk glas lossen mijn sensaties verder
op in de blauwe likeur.

Tegen de tijd dat de schemer inzet, komt Cathy langs. Ik ben moe, maar ik kan me ook niet voorstellen dat ik zo in dat smalle bed hierboven ga liggen. Als ze aanstalten maakt om bij me aan tafel te komen zitten, sta ik snel op en vraag haar of ze me naar Martini wil brengen.

'We kunnen ook naar mijn huis gaan.'

Ik schud mijn hoofd.

'Waar is je vader?'

'In het ziekenhuis.'

'Moet je daar niet zijn?'

'Van de dokter moet ik uitrusten.'

'Waarvan?'

Ik geef geen antwoord. In de tien of twintig seconden dat het stil is, verdwijnt het aanvallende uit haar gelaatsuitdrukking en ontspannen haar spieren zich, zodat haar blik iets verschrikts krijgt.

'Sorry. Je kunt bij mij slapen.'

'Op die oude bank?'

'In mijn bed. Ik slaap wel op de bank.'

'Martini heeft een groot huis en een logeerkamer.' Ik kan de gedachte niet verdragen om de hele nacht alleen met haar te moeten doorbrengen.

'Ik moet je de groeten doen van Dominic,' zegt ze.

'Weet hij nog dat ik besta?'

'Hij vindt het heel erg van je vader.'

'Er zijn wel meer dingen erg.'

'Wat is dat nou voor opmerking?'

'Waar of niet?'

Cathy zucht en kijkt naar buiten, alsof ik te dicht bij haar sta en mijn nabijheid het haar onmogelijk maakt na te denken voor ze iets zegt.

'Suzy, je moet een keer met hem…'

'Nee.'

'Hij is gescheiden.'

'Ik wil niet weten dat hij bestaat.'

Cathy schudt haar hoofd en loopt naar buiten.

'Waar ga je naartoe?' roep ik haar na.

'Ik moest je toch naar Martini brengen?'

Bij Martini strek ik me uit op de bank. Hij en Cathy staan ernaast en hij zegt iets wat niet tot me doordringt, waarschijnlijk iets wat troostend bedoeld is. Het maakt me niet uit, sinds ik Alfred's Bistro heb verlaten en Cathy niet meer over mijn vader of Dominic praat, ben ik ontspannen, alsof ik in een warm bad lig en de wereld om me heen niet groter is dan een met stoom gevulde badkamer.

Martini laat ons alleen.

Cathy komt naast me op de bank zitten en ik draai me op mijn zij om meer plaats voor haar te maken, zodat ze tegen me aan kan leunen. Ze doet dat niet en ik probeer haar naar me toe te trekken.

'Kom lekker hangen,' zeg ik. Vroeger plakten we vaak zo tegen elkaar.

'Ik zit goed.'

'Wat je wilt.'

'Waarom heb je me niet gebeld?'

'Gebeld?'

'Dat je vader was opgenomen.'

'Daar heb ik wel aan gedacht. Ik weet het niet meer.'

'Je bent dronken.'

'Zie je dat nu pas?' Ik duw me omhoog op mijn ellebogen om haar aan te kijken, maar ik vind haar serieuze blik vermoeiend en laat me meteen weer terugvallen op de bank.

'Neem ook wat. Martini heeft genoeg in huis.'

'Ik ben je vriendin.'

'Je kwam aapjes kijken.'

'Ik kwam kijken hoe het met je ging.'

'Bij Lucinda. Je kwam aapjes kijken in het restaurant, om te zien hoe goed je het zelf had. Dat doen vriendinnen niet.'

'Ik heb geen idee waar je het over hebt.'

'Toen ze net terug was.'

'Wat een ouwe koe. Je logeerde bij mij toen je moeder weg was, weet je dat niet meer? Dat je 's nachts van jouw matras op het mijne kroop?' Ze draait haar rug naar me toe en zit te mokken met haar armen over elkaar.

Ik wou dat ze gewoon tegen me aan was gaan leunen en niks had verstoord. Nu voel ik me misselijk in plaats van ontspannen.

'Ze was veel te jong.'

Ze bedoelt haar eigen moeder.

'Ik wandelde elke dag drie keer met haar. Voor het ontbijt, na de lunch, voor het slapengaan. Haar in de rolstoel tillen, haar uit de rolstoel tillen. Ik heb haar gewassen en gevoed en ik heb nooit geklaagd. Nooit.'

'Nee.'

'Echt nooit.'

'Je hebt goed voor haar gezorgd. Blijf je hier vanavond?'

'Hier is mijn plek niet.' Ze staat op.

'Dag, Cathy,' roep ik achter haar aan, en met het optimisme van een beschonkene: 'Ik bel je morgen.'

Martini schenkt een glas whisky voor me in. Ik houd niet van de smaak, maar deze drank verwarmt me meer dan de Blue Curaçao en ik voel me er sterker door, alsof ik beter rechtop kan blijven zitten.

We zijn in de keuken en drinken zwijgend. Ik vertel hem van mijn vaders opname in het ziekenhuis en hij hoort me met een bezorgd gezicht aan, wat ik vermakelijk vind. 'Zo heb ik je nog nooit zien kijken, met zo'n serieuze frons,' zeg ik.

Hij trekt zijn wenkbrauwen op en lijkt te wachten of ik nog iets zal zeggen om mijn opmerking te nuanceren, maar dat ben ik niet van plan. Waarom zou ik?

Ik raak al gewend aan de whisky, hij brandt niet meer zo lekker als hij mijn keel in glijdt.

'Waar is je vriendin gebleven?' vraagt Martini.

'Zullen we met je boot varen?' Ik heb een sterke behoefte om dit eiland van een afstand te bekijken, om met mijn eigen ogen te bevestigen dat het echt een eiland is. Soms geloof ik niet dat ik het weer kan verlaten.

'Moet je niks eten?'

'Ik ga liever varen.'

'Het is donker.'

'Kan het?'

Martini neemt de fles mee en loopt naar de deur. Ik volg hem de tuin in. Voorzichtig daal ik achter hem de trap af naar het kiezelstrand onder aan de rots. De treden zijn gemaakt van stenen, veelal rond en afgesleten, en even krijg ik het idee dat deze trap mij met opzet wil laten vallen, dat hij gemaakt is om mij onderuit te halen en de diepte in te laten glijden, waar niemand me ooit zal vinden.

Beneden glimt het houten dek van de boot in het maanlicht, met dezelfde warme gloed die ik me herinner.

'Weet je nog hoe het moet?' vraagt Martini.

'Ik denk het wel.'

'Ga je gang.' Hij klautert over de rugleuning van de bank, maakt de landvasten los en gaat op de kussens achterin liggen.

Ik neem het stuur en leg mijn hand op de hendels. De uiteinden zijn hard, als je erin knijpt geven ze niet mee, ze zijn duidelijk en zullen niet veranderen. Ik omklem ze stevig, alsof ik hun zekerheid dwars door mijn handpalmen in me wil trekken, en duw ze helemaal open, zodat de boot door de schemering raast, weg van Gozo. Maar de zee is tam en ik ben geen tiener meer, het zware geluid van de motoren en het spattende water laten me koud.

'Denk om de brandstof,' zegt Martini.

'Hoeveel zit er nog in?'

'Geen idee. Ik heb al een tijd niet gevaren.'

Ik trek de hendels terug naar vrij en zet de motor uit. In de verte ligt Gozo, een klein eiland, in één oogopslag te zien als een zwarte vlek tegen de nachthemel.

De afstand helpt me niks.

'Zit er ook licht op dit ding?' vraag ik aan Martini.

Hij komt naar voren en haalt een schakelaar om. 'Start eens.'

Ik doe wat hij zegt en voorop gaat een lamp aan. Ik draai de boot, tot de lamp op de boeg op Gozo gericht is, en geef gas. Eerst vaar ik rustig, om brandstof te besparen, maar het is saai en dat kan ik nu niet gebruiken. Ik geef steeds meer gas, tot de hendels volledig naar voren staan en we op Gozo af lijken te stormen. Dit is beter dan wegvaren.

'Ho!' roept Martini. 'Hohoho.' Hij duwt me opzij en neemt het stuur over.

Ik ga verslagen op de kussens zitten en wacht tot we weer aan de steiger liggen.

39

'Heb je echt nooit meer iets van je moeder gehoord?' vraagt
Alessandra, op een middag dat we bij Hondoq zwemmen. Ze
zit op een badlaken en kijkt met haar hand boven haar ogen
naar me.

'Dat weet je best.'

Op haar borsten heeft ze Amerikaanse vlaggen. Cathy en
ik dragen een badpak, zij is de enige in bikini. Ze heeft nog
niet gezwommen, alleen met losse haren over het beton gepa-
radeerd en bij mevrouw Monte een flesje cola gekocht, waar
ze bedachtzaam van heeft zitten nippen terwijl Cathy en ik
met onze badmutsen op keken hoe ver we de zee in durfden
te zwemmen. Ik heb gewonnen, al weet ik niet of Cathy het
ook als een wedstrijd zag.

'Wat zou ze nu doen?' vraagt Alessandra.

'Geen idee.'

'Vraag jij je dat nooit af? Hoe ze er nu uitziet, wat ze doet?
Of je haar ooit ineens op tv zult zien, in een reclame voor mar-
garine?'

Ik doe mijn badmuts af en wapper hem droog, zodat de spetters op Alessandra terechtkomen.

'Hé, hou daarmee op.'

'Heeft ze zo'n mooie bikini, blijft ze op een handdoek zitten,' zeg ik tegen Cathy.

Alessandra springt op en Cathy en ik rennen achter haar aan, maar voor we haar te pakken krijgen, duikt ze het water in.

Cathy springt haar achterna en probeert haar kopje-onder te drukken.

Ik blijf op de kant staan en kijk naar ze. Ik zou er nu ook in kunnen springen, maar die twee jonge vrouwen voor mij, spartelend in het water, zijn niet hetzelfde als ik.

Ik droom vaak over Lucinda, maar dat vertel ik ze niet. Ik droom dat ze door Antwerpen loopt, een stad waar ik nooit geweest ben, maar die in mijn hoofd bestaat uit flatgebouwen van hetzelfde gele kalksteen als alle huizen hier, en uit groene gazons. Ze is vrolijk in die dromen, ze heeft kortgeknipt haar, ze heet weer Lalande en ze heeft een vriend. Vaak zie ik twee kinderen, op een wip of een schommel. Ze likken aan een waterijsje. Ik word verstrengeld in mijn laken wakker, als ik tenminste op tijd wakker word. Mijn vader heeft me meer dan eens op de grond naast mijn bed gevonden. Ik had blauwe plekken van de val en huilde hardop met mijn ogen dicht.

Kort na die middag aan het water, hangen we op Martini's bank en eten chips terwijl we naar een van zijn films kijken.

Dat doen we al twee weken, voor een project van school, en ik houd die films niet meer uit elkaar, ze zijn samengesmolten tot één loom bewegend beeld. Terwijl Cathy en Alessandra babbelen over jongens uit de klas boven ons, sta ik op, rek me uit, en dwaal zonder duidelijk doel de keuken in. Aan het andere eind, tussen aanrecht en ontbijttafel, staart Martini uit het raam. Ik heb hem nooit zo stil meegemaakt. Er zijn daar alleen rotsen te zien, een paar kleine planten en wat verderop de muur die rond zijn tuin loopt.

Ik ga naast hem staan. 'Waar kijk je naar?'

Hij draait zich om. In zijn hand heeft hij een grote mok koffie met veel melk en de beige kleur van de drank doet me denken aan het licht in Alfred's Bistro. Nooit zullen die serre en de stoelen en tafels er anders uitzien, niet in de zon, niet bedekt onder een laag stof. Er is een tijd geweest dat mijn vader en ik niet alleen waren. Was het toen anders?

'Alfred zegt dat hij en Lucinda Gozo hebben ontdekt toen ze bij jou op bezoek waren,' zeg ik tegen Martini.

'Dat klopt.'

'Waarom woon jij hier?'

'Om een vrouw.'

'Woont zij hier ook?'

'Ze weet niet dat dit eiland bestaat.' Hij friemelt aan zijn mok, alsof hij er een verlossende gedachte uit kan peuteren.

'Je moeder wilde dat restaurant.' Hij zet de mok weg en leunt met zijn rug tegen het aanrecht, zijn handen om de rand van het blad geklemd, alsof hij de steun van het marmer nodig heeft om zo ver in de tijd terug te gaan.

'We waren met zijn drieën naar een café geweest in Marsalforn en maakten een wandeling langs zee. Je moeder zag dat het te koop stond en zei: "Stel je voor dat je zo'n restaurantje hebt. Op dit eiland. Mooi weer. Uitzicht op zee. Eenvoudig. Heerlijk."'

'Ze vond het hier vreselijk.'

'Alfred nam haar veel te serieus. Uiteindelijk werd dat restaurant een kooi, dat had hij kunnen weten. En je moeder was geen parkietje.' Martini zet zich af tegen het aanrechtblad en loopt met korte, nerveuze stappen de keuken uit.

Ik stel me voor hoe Lucinda gehurkt op een stokje zit in een grote vogelkooi, terwijl mijn vader haar zaadjes voert, en barst in lachen uit, mijn buik schudt er zo van dat ik mijn armen eromheen moet vouwen. Even later komen Cathy en Alessandra de keuken binnen, op zoek naar mij. De film kijken we niet af, we gaan zwemmen.

Na een tijd word ik wakker en als ik me op mijn zij draai, zie
ik de lege boekenkast in Martini's logeerkamer. Er staat een
houten beeld in van een zittende man, met opgetrokken
knieën en te grote voeten. Ook zijn handen zijn enorm, ze liggen naast zijn voeten op de kast, met hun palmen omhoog.
Hij ziet eruit alsof iemand hem een duw heeft gegeven en hij
op zijn billen is geland.

Uit de woonkamer komt muziek. Ik concentreer me op het
geluid, maar hoor geen stemmen of voetstappen. Martini zit
achter zijn bureau, stel ik me voor, met gesloten ogen, den-
kend aan wat er nooit is geweest, wachtend tot de muziek
hem zo heeft beroerd dat zijn emoties overlopen, een ontla-
ding die hem wankel en leeg zal achterlaten. Het lijkt me te
passen bij zijn gevoel voor drama. Zal hij eenzaam zijn zonder mijn vader?

Ik sta op en schuif het gordijn opzij. Het raam staat open en
de buitenlucht ruikt aanlokkelijk zuiver. Ik klim over de ven-
sterbank en wurm mezelf tussen de grote struiken met bloe-

men door naar het pad dat door de tuin loopt, richting poort. De nacht is warm gebleven, of ik heb te veel alcohol in mijn lijf om te merken dat de temperatuur is gedaald. Ook als ik Martini's tuin achter me laat en de onbeschutte weg op stap, krijg ik het niet koud.

Onder het lopen stel ik me mijn vaders gezicht voor, zoals ik hem in het ziekenhuisbed heb zien liggen, ogen gesloten en hoofd opzij. De ruimte moet nu donkerder zijn dan gistermiddag, met in een hoek een kleine lamp, zodat de verpleegkundigen hun weg kunnen vinden. Achter hem zal de glazen wand ondoorzichtig zijn in de nacht, hij zal alleen de kamer reflecteren, benadrukkend dat de ruimte waarin mijn vader ligt, is losgezongen van de wereld.

Ik wist niet waar te beginnen, hoe hem te helpen, zijn vraag is nooit duidelijk geweest. Hij heeft de afgelopen dagen niks in mij opgewekt wat diepte verleende aan mijn leven, dieper dan de lagen verf die Victor en ik op onze doeken smeren. Dat heeft hij al jaren niet gedaan.

Alessandra's zoontje heeft voor het eerst in lange tijd werkelijke verlangens in mij losgemaakt. Al het andere was oppervlakkig, alles wat ik heb gewild alleen gericht op mijn eigen persoon.

Ik heb het kind niet eens vastgehouden, niet tegen me aan gedrukt en geknuffeld.

Cathy wel, bij ons bezoek, en Alessandra kan hem vasthouden wanneer ze wil.

Het begint licht te worden. Ik loop langs een plek waar vroeger afval werd gedumpt naast de weg. Nu staat er een oranje container, zo'n grote die achter op vrachtwagens gehesen wordt. Het terrein is opgeruimd, maar de geur van bedorven afval is achtergebleven, tegelijkertijd zoet en vol peper. Niets groeit er en ik vraag me af wat ze van plan zijn met de kale bodem tussen de heuvels, of er iets geplant gaat worden. Nu maakt de aanblik me vooral verdrietig, omdat het een grote, zinloze leegte is. Toen men er afval achterliet, had deze plek in elk geval een bestemming.

Langs de weg zijn grote huizen gebouwd die ver uit elkaar staan. Vroeger stond er een enkele boom in de berm en verder naar achteren, in het gras, stond hier en daar een golfplaten stalling van een boer. Als je de weg helemaal volgt, kom je uiteindelijk bij de zwemplek bij Hondoq. Maar wat zegt dat, op een eiland kom je altijd op dezelfde plek terug als je ver genoeg doorloopt.

184   Ik zet mijn nieuwe veldezel op het plein in Xaghra, om de kerk te schilderen. Ik wil eens wat anders maken dan een zeegezicht. Mijn vader heeft me de ezel gegeven voor mijn twintigste verjaardag en elke keer als ik hem uitvouw, word ik gelukkig bij het aanraken van het hout. Het oppervlak is gladgeschuurd maar verder onbehandeld, en het hout voelt niet alleen natuurlijk en basaal, het geurt ook sterk naar hars. De mobiliteit van de ezel, zowel het in- en uitvouwen als het meenemen, geeft me een gevoel van vrijheid. Ik krijg het idee dat ik kan gaan en staan waar ik wil en alleen nog aan mezelf rekenschap hoef af te leggen. Ik ben nog nooit zo blij geweest met een cadeau, behalve misschien met mijn eerste acrylverf op mijn zevende verjaardag.

Ik herken Dominic niet meteen. Hij draagt zijn uniform en door zijn pet valt er schaduw op zijn gezicht. Het is zeker twee jaar geleden dat ik hem voor het laatst heb gezien. Hij heeft pauze en vraagt of ik met hem wil lunchen.

De volgende middag rijd ik achter op zijn scooter naar

Hondoq. Ik draag zijn pet tegen de zon. Zijn dienst is afgelopen, maar het mag natuurlijk niet en ik weet dat hij als de dood is dat een collega ons ziet, al doet hij alsof het hem niks interesseert. Hij is slank en gespierd, het lijkt een heel nieuw lichaam waar ik mijn armen omheen geslagen heb. Het fascineert me enorm, deze verandering, de mate van controle die het moet hebben gevergd. Het laat zien met welke volharding hij zijn eigen leven vormgeeft, net zoals hij mij nu zijn pet laat dragen, op het gevaar af dat hij van de academie wordt gestuurd.

Bij Hondoq stuurt hij de scooter de heuvel af. De zwemplek is niet meer dan een betonnen plaat met een stalen trap, maar het water is er heerlijk en aan het eind van de dag is er bijna niemand. Mevrouw Monte staat voor haar kraam en draait met een lange stok de luifel omhoog. Dominic parkeert naast haar. 'Heb je nog ijs?' vraagt hij.

'Voor jou altijd, schat.' Ze verft haar haar nog steeds zwart.

'Eerst een duik,' zegt Dominic.

'Ik heb geen zwemkleren bij me.'

'Dat maakt toch niet uit.' Hij trekt zijn T-shirt over zijn hoofd, laat zijn broek zakken en springt in zijn boxershort van de kade. Ik ren naar de rand van het water en zie hem zwemmen, met krachtige slagen van de kade weg. Ik denk aan de klanten van mijn vader. Mevrouw Monte ken ik alleen ingelijst door de luifel en de randen van haar kraam.

'Kom,' roept Dominic. De zee is zo helder dat ik hem kan zien watertrappelen. Ik trek mijn T-shirt uit en hoe stom het ook klinkt, het is een bevrijding, dat ene stukje stof dat niet meer om mijn lijf zit. Ik hoop dat ze kijkt. Het liefst wil ik alles uittrekken, maar dan zou ik mezelf voor gek zetten tegenover Dominic.

Ik duik het water in en met een paar slagen ben ik bij hem. Samen zwemmen we terug naar de ladder en klimmen uit zee. De zon zal zo achter de rotsen verdwijnen.

'Welke smaak wil je?' vraagt Dominic.

'Chocolade.'

'Ik heb alleen nog vanille,' zegt mevrouw Monte. Ze blijft in een bak van haar vriezer kijken, alsof ze de jonge vrouw die voor haar staat met glinsterende druppels op haar schouders en alleen een beha aan, niet wil zien.

'Ook goed.'

We gaan op het beton zitten, terwijl de zon verdwijnt en het fris wordt. Achter ons sluit mevrouw Monte de luiken van haar kraam. 'Ciao,' zegt ze en ze loopt naar de laatste auto die nog op de parkeerplaats staat. Mevrouw Monte is een raar oud mens, zeg ik tegen mezelf, niemand zal haar serieus nemen, behalve de andere oude roddeltantes op het eiland. Toch vind ik dat jammer. Ik zou willen dat het mijn vader zou choqueren, maar er lijkt niets meer te zijn dat hem van zijn stuk brengt.

Ik ril. Dominic trekt me tegen zich aan en we likken om de beurt aan mijn ijsje, tot het op is. Dan probeert hij me te zoenen. Ik draai mijn hoofd weg. 'We zijn vrienden,' zeg ik.

'Volgens mij niet.'

'We zijn hier toch samen?'

'Op school waren we al geen vrienden meer. Jij ging alleen nog met die meiden om.'

Ik wrijf over mijn benen. Ze zijn koud. Dominic duwt me zacht achterover, zodat ik op zijn onderarm lig en hij over me heen leunt.

'Ik dacht dat we hiernaartoe gingen om weer vrienden te worden,' zeg ik.

'Ik wil geen vrienden zijn.'

42

De zon is helemaal los van de kim tegen de tijd dat ik bij Alessandra's huis aankom. Op de oprit staan twee auto's naast elkaar, een grote en een kleine. De vanzelfsprekendheid van die verhoudingen stoort me. Ben ik boos omdat dit is wat ik had gewild? Dat kan ik me niet voorstellen. Of is het de gedachte dat het bij mij ook zo had kunnen gaan?

Ik blijf nog een poos naast de auto's staan, onder een kleine palmboom met lange bladeren, wachtend tot mijn gedachten tot rust komen en ik me weer neutraal voel, in elk geval onaangedaan door zoiets simpels als twee auto's voor een huis. Maar hoelang ik ook wacht, ik bedaar niet. Mijn ademhaling blijft hoog in mijn keel, en snel, alsof ik zoveel mogelijk teugen zuurstof naar binnen moet zuigen voordat de greep om mijn hals zich sluit. Binnen ligt hij in zijn wieg, slechts een meter of vijf bij mij vandaan. De deur is dicht en de luiken voor de ramen zijn omlaag, maar ik kan hem ruiken, zijn babyhuid en de warmte van zijn slaap, die het lekkerst is in de vouw tussen hoofd en schouders.

Zonder nog langer te aarzelen, bel ik aan. We gaan aan Alessandra's keukentafel zitten en drinken thee. Als ze verbaasd is om me zo vroeg te zien, weet ze dat goed te verbergen.

'Je ziet er moe uit,' zegt ze. 'Gaat het slecht met je vader?'

Ik haal mijn schouders op, omdat ik niet weet wat ik moet zeggen.

Ook Alessandra blijft stil. Ze kijkt me aan met een begripvolle vertel-maar-blik en die geeft me het gevoel dat ik elk moment onder haar zorgzaamheid kan bezwijken.

'Jij bent ook vroeg wakker.'

'Een baby, hè. Ik heb Tim een halfuur geleden gevoed.'

'Waar is hij?'

'Hij slaapt.'

Ik wil mijn teleurstelling niet laten blijken. 'Hoelang woon je hier nu?' vraag ik.

'Bijna een maand. Net op tijd voordat Tim kwam.'

Even ben ik bang dat ze weer over hem gaat praten, maar ze knikt naar de openstaande verhuisdoos naast de keukentafel en zegt dat ze aan het uitzoeken is welke spullen ze wil houden. 'Ik heb nog wel wat te doen, voor de verhuizing ben ik er niet aan toegekomen.'

Naast de doos liggen kleren op de grond. 'Gaan die weg?' vraag ik.

'Ja.'

Haar bikinitopje met de Amerikaanse vlaggen hangt aan de stoel tegenover mij. 'Dat heb je nog lang bewaard,' zeg ik.

'Nu gaat het weg. Of wil jij het hebben?' Ze streelt zacht

over het kledingstuk en glimlacht, in gedachten verzonken.

'Mag ik Tim nog even zien?' Ik wil hem vasthouden.

'Hij slaapt.'

'Ik was gisteren bij mijn vader in het ziekenhuis. Hij ligt ook in bed.'

'Hoe gaat het met hem?'

'Hij is gevallen.' Ik knijp mijn ogen dicht en wrijf met mijn vingertoppen over mijn slapen.

Alessandra staat op, pakt een doosje paracetamol uit een keukenkastje en legt het voor me op tafel.

Ik stop twee tabletten in mijn mond en slik ze weg met de thee. Tegen de hoofdpijn zal het helpen, tegen mijn drank-kegel niet en ik vraag me af wat Alessandra nu van mij denkt.

'We kunnen voorzichtig bij hem kijken,' zegt ze.

Ik sta op en volg haar door de gang naar de deur van de kinderkamer.

'Zachtjes, hoor,' fluistert ze. Ze duwt zo stil mogelijk de deur open. Haar zoon ligt te slapen. Voetje voor voetje schui-ven we naar binnen.

Ik trek de deur stevig achter ons dicht en hij wordt wakker.

'Sorry,' zeg ik, maar ik denk niet dat Alessandra me hoort.

Tim is gaan huilen, niet hard, maar ze pakt hem meteen uit zijn wieg en houdt hem tegen haar borst.

'Laten we naar de woonkamer gaan,' zegt ze, nadat ze hem een poosje terug in slaap heeft geprobeerd te wiegen.

In de woonkamer zakt Alessandra in de grote hoekbank met haar zoon op schoot. Hij is gestopt met huilen, maar ziet er toch kwetsbaarder uit dan de vorige keer.

Ik ga op de fauteuil zitten die haaks op de bank staat, met mijn billen op de rand van de zitting, zodat ik mijn hoofd zo dicht mogelijk bij hem kan brengen om zijn babygeur op te snuiven.

Alessandra let niet meer op mij, ze heeft alleen oog voor haar kind, streelt hem over zijn voorhoofd en neuriet een kinderwijsje, zoals ik zo vaak heb gedaan.

'Mag ik hem even vasthouden?'

Ze schrikt. Stinkende, halfdronken vrouw in smerige jurk wil mijn baby, al haar alarmbellen gaan af. Maar ze herstelt zich snel, ik ben haar vriendin en ze zegt ongetwijfeld tegen zichzelf dat ze zich niet moet aanstellen, waarom zou Suzy Koster geen baby kunnen vasthouden?

'Kom maar naast me zitten.'

Ik doe wat ze zegt.

Het kost haar zichtbaar moeite om haar kind in mijn schoot te leggen. Zodra haar handen van zijn lichaam af zijn, begint hij te huilen.

'Sh, sh,' doe ik.

Hij stopt niet.

Alessandra steekt haar armen uit, maar ik laat hem niet meteen afpakken, ik kan dit wel. Ik zet hem rechtop tegen mijn borst en sta op.

'Wat doe je?' vraagt Alessandra.

'Gewoon, bewegen.' Ik wieg hem terwijl ik naar het raam loop dat uitkijkt op de lege tuin. Er liggen stapels tegels en bulten zand van de bouw. Rechts staan twee jonge bomen met de kluit in een soort jutezakken, klaar om geplant te worden. De toekomst parelt in de takken, ze zijn dun en veerkrachtig, nog niet gevangen in de eigen geschiedenis, zoals ze later zullen zijn, wanneer hun vorm onveranderbaar is geworden en hun hout star.

De jongen is zo zacht. Niet alleen zijn huid, ook zijn armen en benen, die nog vol zijn van babyvet, zelfs zijn klaaglijke stem, die niet meer is dan zijn verlangen naar liefde, liefde waarvan ik zoveel in hem zou willen laten stromen, van mijn wang in de zijne, van mijn handen in zijn longen en zijn hart, zodat zijn borstkas ervan opzwelt en hij groot en sterk wordt en de hele wereld aankan.

Alessandra is naast me komen staan en heeft haar handen om zijn middel geklemd. 'Kom maar bij mama, schat,' fluistert ze in zijn oor en ze probeert hem naar zich toe te trekken. 'Suzy.'

Wat wil ze nou? Mag ik hem niet iets langer vasthouden? Ze heeft hem nog haar hele leven.

'Suzy!'

Ik zweef, los van de aarde, niet in deze kamer, niet bij haar, niet op Gozo, alleen met deze jongen in een plek die buiten alles valt.

Dan voel ik de grond weer onder mijn voeten, ik zie het glas en de hopen zand erachter.

Alessandra trekt haar baby tegen zich aan zodra ze mijn grip voelt verslappen. Hij stopt vrijwel meteen met zijn gejammer. 'Ik leg hem in zijn wieg.' Ze loopt naar Tims kamer.

Ik volg haar en maak aanstalten om de keuken in te gaan.

'Ik ga ook slapen,' zegt Alessandra.

Zonder nog iets te zeggen, open ik de voordeur en stap naar buiten. Het is nog een eind lopen naar Alfred's Bistro, maar gelukkig niet meer zo ver als van Martini hiernaartoe. Over een uur ben ik bij het restaurant.

43

194 Dominics appartement is klein en hij heeft een smal bed, een twijfelaar, waar we uren in doorbrengen.

'Ik wil kinderen,' zegt hij op een dag.

'Ik ook.'

'Stop je met de pil?'

'Het is zo fijn met zijn tweeën.'

'Ik ga niet bij je weg. Ik wil alleen dat je stopt met de pil.'

'Nu?'

'Mijn opleidingstijd is voorbij. Ik krijg een goed salaris. We kopen een huis. We worden een gezin.'

Het woord 'we', dat is het. Of misschien alleen de gedachte dat hij buiten zijn goede salaris aan het verdienen is en dat ik hierbinnen in mijn eentje voor een kind zorg. Suzy en Dominic wil ik zijn. Niet Dominics vrouw met kind.

'Ik wil dat je stopt met de pil.' Waarom herhaalt hij het? Hij zit naast me op bed en trekt zijn zware politieschoenen aan.

'We kunnen toch een paar jaar wachten?'

'Dat wil ik niet.' Hij verlaat zonder te groeten het appartement.

Geagiteerd sta ik op en begin heen en weer te lopen. Ik heb geen kleren aan en voel de tocht die onder de deur door komt over mijn verhitte lichaam strijken. Ik ga voor het raam staan en kijk in de straat. We wonen op de eerste verdieping, iedereen die langsloopt kan mij zien en net als eerder bij het zwemmen, toen ik in mijn beha in het water sprong, geeft dat me een gevoel van macht. Ik dacht dat het vrijheid was, maar het is macht. Het is mensen onwillekeurig, zonder dat ze ervoor kiezen of erover nadenken, bepaald gedrag laten vertonen.

Niet dat er veel mensen op straat zijn, twee oude vrouwen met boodschappentassen komen langs, een paar minuten na elkaar. Allebei richten ze hun blik omhoog, zien mij staan en blijven kijken.

De eerste loopt door terwijl ze naar me staart, de tweede stopt en draait zich naar het raam. Ik beweeg niet, ik blijf haar aankijken. Na een poosje schudt ze haar hoofd en loopt verder.

Er komt maar één man langs, ook oud. Jonge mannen zijn aan het werk, kinderen zitten op school.

Deze man ziet mij en durft niet te kijken, hij loopt snel door met zijn blik op de grond gericht, maar hij houdt het niet vol, nog twee keer draait hij zijn hoofd en ik zie zijn ogen van onder zijn boerenpet zoeken naar mijn borsten en mijn kruis.

Ik loop naar de kast. Mijn weekendtas ligt op de bovenste plank, ik moet op mijn tenen staan om hem te pakken. Ik gris mijn ondergoed en T-shirts van de planken en prop ze in de tas, alsof ik ze wil opsluiten en zorgen dat ze er nooit meer uit komen, ze wil straffen voor mijn mislukking. Na een poosje ebt mijn opwinding weg en ik ga op een stoel in de open keuken zitten. Ik kijk naar de tas die halfvol op de grond voor de kast staat. Ik haal alle kleren eruit, vouw ze weer op en leg ze terug in de kast.

's Avonds, als hij terugkomt, heb ik de tafel gedekt, met kleed en al, wat ik nooit doe, ik haat alle dingen die me herinneren aan het werk als serveerster. Ik heb wijnglazen neergezet, twee kaarsen in de halzen van lege flessen geduwd en ik heb een kip in de oven gedaan, zodat het hele appartement naar huiselijke braadlucht ruikt.

'Laten we het doen,' zeg ik als hij zijn eten opheeft.

'Wat doen?'

Ik loop om de tafel, ga op zijn schoot zitten en begin hem te zoenen. Hij is wat overdonderd door mijn voortvarendheid, maar zodra hij de verrassing te boven is, geeft hij zich helemaal over. De rest van de avond en een groot deel van de nacht vrijen we.

Als Dominic de volgende ochtend naar zijn werk is, ga ik naar de badkamer. Ik poets mijn tanden, dat is de enige reden waarom ik hier nu ben, in deze kleine cel van nauwelijks anderhalve vierkante meter. Ik spuug het schuim uit, ontbloot mijn tanden en grijns in de spiegel. Ik open mijn mond en probeer al mijn kiezen te bekijken. Nergens restjes eten, nergens sporen van bederf. Ik doe mijn mond weer dicht en moet eigenlijk deze ruimte verlaten, maar ik weet dat er naast me een kastje hangt, zo'n wit ding met een rood kruis erop. En ik weet wat er in dat kastje ligt. Ik doe het open, druk een van de kleine pilletjes uit de strip in mijn hand en slik het in.

De dagen die volgen lijken hun eigen route uit te stippelen. Ik doe wat ik altijd doe, dweil de vloer, doe boodschappen, ga schilderen. Af en toe sta ik naakt voor het raam en kijk hoe de mensen naar mij kijken. Ik heb al zeker naar drie buren teruggestaard. Ik geloof niet dat ze Dominic ooit tegenkomen. Sommige dagen slik ik mijn pil. Andere dagen niet. Vrijen doen we elke dag, 's avonds, vaak 's nachts en soms ook nog snel in de ochtend, voor hij gaat.

Binnen een paar weken sta ik bij de drogist. Ik heb al die tijd geweten dat dit ervan zou komen. Waarom ik af en toe die pil wel heb geslikt, zou ik niet kunnen zeggen. Misschien wilde ik me verzetten, maar waartegen? Of was het de twijfel in mijn hoofd die heeft doorgewerkt in mijn gedrag? Maar zo ben ik niet, weifelend, ik kan mezelf goed sturen.

Thuis plas ik over het staafje. Twee duidelijke streepjes. Ik kan er nog wel een kopen om het zeker te weten, maar dat hoeft niet. Dit is genoeg.

Ik pak opnieuw mijn weekendtas. Dit keer ben ik rustig. Ik leg mijn stapeltjes opgevouwen kleren erin en loop daarna het appartement door om te kijken of ik nog iets ben vergeten. Uit de badkamer neem ik mijn tandenborstel en deodorant mee. De pillen tot en met de datum van vandaag druk ik uit de strip en ik spoel ze door de gootsteen. De bijna lege strip laat ik voor hem liggen op het plankje onder de spiegel.

Tegenwoordig heeft hij twee kinderen. Hij is gescheiden van de vrouw die ik één keer heb gezien.

Nadat ik zijn appartement had verlaten, ging ik terug naar mijn vader. Ik stond op het terras een doek over de tafels te halen na de lunch en kneep mijn ogen dicht tegen de zon, maar ik herkende hem meteen, drie terrassen verderop.

Hij was op zijn scooter, zonder uniform, en stapte af bij een bar die lunch serveerde. Uit de bar kwam een kleine vrouw met een veel te wijde rok naar buiten rennen. Ze omhelsde hem en ze zoenden als een stel kinderen, minutenlang, op het terras, waar iedereen hen zag.

Ik smeet de doek op de grond en liep naar binnen. Een maand, langer had hij niet nodig om mij te vervangen.

44

In mijn vaders slaapkamer ligt een foto op het hoofdkussen.
Gisteren heb ik die niet gezien, maar toen was ik niet langzaam door het huis aan het dwalen en in elke ruimte de gees-
tesaanwezigheid aan het peilen, in een poging om te voelen
wat er hier nog rest. Veel is het niet, achter de bar voel ik me
niet meer thuis en de keuken maakt weinig indruk, maar in
deze kamer blijf ik even.

Ik strek me uit op mijn vaders bed. De foto laat ik naast me
liggen, ik wil er nog niet naar kijken, al weet ik heel goed
dat ik dat wel ga doen. Het bed ruikt naar hem. Ze zeggen
dat oude mensen altijd een typische oudemensengeur hebben, maar dat is niet waar. Mijn vader ruikt gewoon naar
mijn vader, net zoals hij vroeger deed, een beetje olijfolie,
een beetje vettig haar, een leven dat zijn eigen geursporen
heeft zoals ieder ander leven. Dit bed is van hem doortrok-
ken en de zweem van opgedroogde plas die van onder
het dekbed komt, doet daar niets aan af. Ik zou moeten
opspringen, me zo ver mogelijk moeten verwijderen van dit

bed, dat zou het effect van zijn geur moeten zijn.

Toch voel ik me hier warm.

De foto plakt aan mijn elleboog. Ik pak hem en kijk naar het glanzende, gekleurde papier. Heeft hij naar deze afbeelding liggen kijken voor hij naar beneden ging en viel? Misschien had hij hem 's avonds tevoorschijn gehaald, nadat ik Rico had weggestuurd. Of had hij hem altijd naast zijn bed liggen? Ik denk het niet. Hij heeft gisterochtend deze foto gepakt, uit zijn sokkenlade of zijn geldkistje of waar hij hem ook had weggestopt, en daarna heeft hij naar het beeld liggen staren. Is hij van zijn stuk geraakt. Heeft hij te veel van zijn hersenen gevraagd. Daarom is hij gevallen.

We staan alle drie op de foto. Martini heeft hem genomen op een zonnige middag. Ik ben net vierentwintig geworden en sta in het zand naast de serre, in het jurkje dat ik van Cathy en Alessandra heb gekregen voor mijn verjaardag, strakker en korter dan ik zelf zou hebben uitgezocht. Aan mijn gereserveerde blik is goed te zien dat ik het helemaal niet prettig vind om zo gefotografeerd te worden. Het jurkje is rood en ik ben er zoveel mogelijk mee achter de anderen gaan staan. Schuin voor me staat mijn vader met de tuinhark in zijn hand. De omgeving is strak aangeharkt, van de heuvel tot de weg. Het meest verschuil ik me achter Daniël. Zijn hoofd komt tot mijn middel en achter zijn lichaam zie je nog net de buitenkant van mijn heupen en bovenbenen.

Hij houdt zijn handen in een kuiltje voor zich uit, alsof hij een hostie wil ontvangen, en laat trots zien wat hij allemaal heeft opgeraapt aan kroonkurken, uitgedrukte sigaretten en coladoppen. Mijn vader had hem gevraagd of hij wilde helpen.

'Nee, dat is veel te vies,' had ik gezegd, 'ik wil niet dat hij peuken opraapt.' Maar nadat mijn vader die vraag had gesteld, kon ik het niet meer weigeren, dat was meer teleurstelling geweest dan ik hem had willen aandoen.

Deze foto ga ik niet meenemen. Het is niet alleen die jurk, het is ook mijn vaders bemoeienis waardoor ik zo ongemakkelijk in de camera kijk.

45

202 De zon schijnt genadeloos, alsof hij niet doorheeft wat voor dag het is. Bij de deur van de kapel fluistert Martini dat ik moet uitkijken voor de opstap.

Ik til automatisch mijn voeten op, zonder te merken dat er een hoogteverschil is. Het heeft me gedurende deze dagen verbaasd hoe je lichaam gewoon blijft bestaan, net zo onverschillig als de zon.

Naast de kist houdt Martini me stevig vast.

Ik kijk in zijn gezicht, zo gaaf, alleen een schram op zijn voorhoofd, maar die hebben ze met poeder bijna helemaal laten verdwijnen.

Dit is het moment waarop mijn lichaam het begeeft. Mijn geest, die was meteen gegaan, maar mijn vlees, mijn botten, mijn organen waren overeind gebleven. Tot deze vloed, die alles wegspoelt.

Martini moet me naar de kant dragen, hij moet voorkomen dat ik hem besmeur met mijn tranen, dat mijn volle gewicht op zijn lichte lichaam valt en hem nog een keer verplettert.

Het lijkt alsof ik loop, maar het is niet eens strompelen. Het is Martini die me ondersteunt en me op een stoel laat zakken als een zwaar, slapend kind dat je 's nachts op de wc zet voor zijn plasje.

Het glas in lood van de ramen boven in de kapel is blauw. Zo wordt de zon buiten gehouden en hangt er hier een sombere schemer die me leegtrekt, die zijn arm in mijn borst steekt en alles wat er nog was losscheurt van mijn ruggengraat. De vloed is voorbij, er is een oneindige ruimte, die je geen vlakte kunt noemen omdat hij geen bodem heeft, eigenlijk niet eens een ruimte, omdat er geen horizon is. Alle kleur is weggetrokken, er is niet eens zwart, wit of grijs achtergebleven.

Ik weet dat er andere mensen zijn. Dat ze in hun stoelen langs de wanden zitten, verspreid rondom zijn kist als acteurs in de foyer na het stuk. Afgemat en op karakter blijven ze zitten, om een handje te geven, een paar woorden te wisselen. Af en toe staat er een op, kijkt. Zacht spreken ze tegen elkaar.

Ik staar alleen wezenloos door dat blauwe raam. Waar ga ik naartoe? Straks, als deze dag voorbij is. Ik weet dat ik niet met hem mee kan, ik kan doodgaan, maar na de dood is niets, daar is hij niet. Hier is ook niets. Deze dag zal voorbijgaan, dat weet ik en dat beklemt me. Dat is nog het ergste, dat de tijd blijft bestaan, dat ik de wereld niet kan stilzetten, hier, op deze stoel, hoofd achterover tegen de stenen muur.

De tijd terugdraaien, dat is natuurlijk het enige wat ik echt wil en waar ik niet aan mag denken, en er zijn nog zoveel andere dingen waar ik aan wil denken, hoe ik hem vasthoud, hoe hij lacht, hoe hij zijn hoofd in mijn nek legt. Zijn stem.

Ik concentreer me op het blauwe licht en druk al deze gedachten weg. Dat gaat makkelijk. Gewoon niet aan denken. Gewoon niet denken.

46

Ik zit op het terras met mijn ingepakte koffer. Mijn auto staat naast me en ik weet dat ik nu zou moeten instappen en gaan, maar ik voel me alsof ik bij een bushalte zit zonder de bestemming van de bus te weten en als iemand me zou vragen waar ik naartoe moet, zou ik geen antwoord hebben. Eigenlijk wil ik alleen hier blijven zitten en de dag over me heen laten komen, de aanzwellende hitte, de zweterige namiddag, de koelte na de schemering en ik zou daarna niet opstaan, maar de hele nacht hier doorbrengen en 's ochtends de zee zien verkleuren, van zwart naar grijs naar blauw.

Uiteindelijk rijd ik naar het ziekenhuis. Het voelt alsof ik op een missie ben, alsof ik vijandig terrein betreed om er een opdracht te volbrengen. Het liefst was ik direct naar de haven gereden, maar dat had niet gestrookt met de werkelijkheid, daarvoor hadden de omstandigheden anders moeten zijn. Het is nu eenmaal onmogelijk te ontkennen dat hij hier ligt en ik kan wel denken dat ik het liefst meteen de boot op was gereden, maar dat verlangen bevredigen heeft ook een prijs.

De bloemen in de boom bij de ingang hangen als bloeden-de frontsoldaten boven de schuifdeur. Ik steek de bijna lege parkeerplaats over. Mijn stappen lijken steeds trager. Ik weet niet of ik echt langzaam loop, maar het is alsof de tijd dikker wordt, alsof ik in dit moment gevangen word gehouden op een leeg stuk asfalt. Links schijnt de zon in het glas van de nieuwe vleugel. Voor ik de ingang bereik, buig ik af, naar de rand van de parkeerplaats, waar achter een ketting het gazon begint. Twee sproeiers draaien op het grasveld, dat zo kort gemaaid is dat er hier en daar bruine plekken te zien zijn waar de zon het gras heeft verschroeid.

Ik buk en kruip onder de ketting door. Ik loop langs de glazen gevel, tot ik bij de ramen aankom waarachter ik mijn vaders kamer vermoed. Ik leun tegen het glas en met mijn handen naast mijn ogen druk ik mijn voorhoofd tegen het raam. Er ligt wel iemand in het bed, maar het is niet mijn vader. Ik doe een stap terug en probeer me voor de geest te halen hoe de gang er binnen uitziet, nadat je de klapdeuren bent gepasseerd die het oude deel van het nieuwe scheiden. Ik tel in mijn hoofd het aantal deuren en de ruimtes ertussen. Het elfde en twaalfde raam moeten van mijn vader zijn.

De kamer lijkt leeg en ik schrik, maar als ik beter kijk, zie ik dat hij in het bed ligt. Ik sta in een smal perk langs de ramen, tussen kleine, eenjarige bloemen, en druk mezelf nog dichter tegen de ruit aan. Hij ligt er precies zo bij als gisteren, ogen ge-sloten, bewustzijn afwezig.

Ik zou naar binnen kunnen gaan, zijn kamer in, zijn voorhoofd strelen, zijn adem voelen op mijn wang. Ik zou zijn hand kunnen vasthouden. Het enige wat ik hoef te doen is nu de ene voet voor de andere zetten tot ik de schuifdeuren gepasseerd ben, blijven ademhalen en de gangen volgen tot zijn deur.

Er staat iemand te roepen en na een poosje realiseer ik me dat hij het tegen mij heeft. Ik kijk naar de parkeerplaats en zie een man in een uniform. Het is een mal gezicht, hij ziet er serieus uit met zijn grote pet en zijn dikke snor, maar hij blijft als een kind zo braaf achter de dunne ketting langs het gazon wachten.

Ik blijf staan waar ik sta, tot hij me uiteindelijk komt halen.

47

208 Ik herinner me vooral het groen, omdat het zo'n misselijkmakende, zijige kleur is. Verder is alles wit, de bovenste helft van de wanden, de jaloezieën, de lakens. Dat groen is tot een meter hoog op de muren gesmeerd omdat je er veel minder op ziet. Er is hier genoeg smerigheid die tegen de wanden kan spatten.

Elke dag zit ik in een stoel, tegenover een trage stem. Mijn ogen houd ik dicht, ik luister alleen naar de woorden. Ik stel me voor hoe zij zich voortslepen, als sledehonden aan het eind van hun Latijn, regelmatig door hun poten zakkend, nauwelijks nog in staat de laatste kilometers af te leggen naar de hutten waarvan ze weten dat die met voedsel gevuld zijn.

Na een tijd realiseer ik me dat de woorden niet langer slepen. Ze zijn veel neutraler, ze stromen, heel langzaam, maar gestaag en onverschillig, een rivier die in alle seizoenen gelijk van omvang en snelheid blijft, zelfvoldaan in zijn zekerheid dat hij maar één kant op kan stromen en altijd aan zal komen waar hij moet zijn. Het is alsof die rivier mij voorzichtig heeft geplukt, niet van mijn voeten geveegd en meegesleurd, maar in zich opgenomen. Ik voel dit nauwelijks, ik hang in het water, ledematen gespreid, op troostgevende wijze tot object gemaakt. Maar ik weet dat ik niet voor altijd blijf meestromen, ik zal me in een bocht naar de kant laten drijven en eruit klimmen.

Ik doe dat door me te concentreren. De stoel is hard en wat ik draag is dun en ik richt me alleen op de gevoelloosheid in mijn billen. Ondertussen stuur ik de woorden, letterlijk, ze stromen nu uit mij, ik vertel elke keer hetzelfde zonder mezelf eraan te verbinden, ik laat de woorden los en ze herhalen zichzelf in mijn mond. Dat is mijn opdracht. Ik moet het vertellen.

's Nachts is iedereen bij me. Ze komen soms samen, soms in hun eentje. Lucinda is vaak alleen, maar er zijn nachten dat ze met Daniël komt, dat ik ze hand in hand zie staan, silhouetten met fel zonlicht in hun rug, zodat het pijn doet om naar ze te blijven kijken, maar ik moet dat beeld vasthouden, dat moet omdat zij willen dat ik dat doe.

Mijn vader komt ook, als een strelende hand op mijn hoofd, als een arm om mijn schouders, en elke keer stap ik weg, onder zijn omhelzing vandaan. Ik zie hem nooit, ik stap simpelweg naar voren, zonder om te kijken. Hij moet weg, hij moet me met rust laten. Ik weet dat ik pas kan gaan als hij niet meer komt.

Dan komt er een einde aan de nachtelijke bezoeken en dat komt door een naald. Hij is lang en dun en aan het eind hangt altijd een druppel, als voorvocht aan een stijve penis. Maar

deze brengt rust, in de vorm van abstracte beelden, een onge-
wone wereld voor mij, ik heb altijd figuratief geschilderd,
herkenbaar, maar nu komt de rust als vloeiende kleuren, als
ecolinevlekken wanneer je vroeger op school knoeide op je
papier, maar deze kleuren zijn veel minder intens, het zijn
waterige gelen en blauwen, en rood zo verdund dat het nauwelijks roze genoemd kan worden.

48

Ik rijd van het ziekenhuis naar de boot. Vanaf de laatste heuvel zie ik Malta liggen en een eind onder mij, aan deze kant
van de zeestraat, de plezierjachten en de veerpont. De klep is
open en mensen en auto's stromen als vuil water het eiland
op. Ze slingeren de heuvel omhoog, over de weg waarlangs
ik zo zal afdalen.

Midden op de heuvel staat een kerk. Ik parkeer de auto in
de schaduw van een plataan, stap uit en ga het gebouw binnen. Hoewel het maandag is, is er een mis bezig. Het is koel
en het ruikt niet naar mensen, maar naar vochtige stenen.
Aan het andere eind, voor het altaar, staat een kist met daarachter een priester in een witte jurk en een paarse sjaal. Alessandra's pijnstillers zijn uitgewerkt en ik ben moe en wil zitten, maar er is geen plaats vrij.

Door de hoge ramen komt de zon binnen en het licht valt
op het hoofd van een jongen die op de voorste rij zit, naast het
gangpad. Ik ken hem. Ik loop naar hem toe, door het midden,
zonder de mensen aan weerszijden op te merken of de woor-

den van de priester nog te horen, alsof de jongen vooraan en ik de enige personen in deze kerk zijn. Een paar meter van de kist blijf ik staan. De priester is net zo onverstoorbaar als het christusbeeld dat boven hem hangt en praat gewoon door.

De jongen kijkt achterom, ziet mij en draait zijn hoofd weer terug. Het is Salvatore. Ik kijk naar de witte kraag van zijn hemd, naar de blote, dunne nek erboven en het hoofd dat er te zwaar voor lijkt, zoals het naar voren hangt, met de blik op de vloer van de kerk gericht. Pa Mitchell natuurlijk. In die kist. Hoe oud was hij ook? Nog zo'n vader die nooit van zijn plaats kwam. Bij dezelfde loods woonde waar hij ruim twintig jaar geleden al woonde en twintig jaar daarvoor ongetwijfeld ook al. En nu wordt hij één met de aarde van zijn eiland.

De mensen in de kerk staan op. Ze doen hun boeken open en beginnen te zingen. Ik druk mijn handen op mijn oren en ga naar buiten. De zon is weldadig na de kille kerk en ik voel me terugkeren in mijn lichaam, alsof ik buiten mezelf ben geweest.

Zes mannen dragen de kist naar buiten. Ze dalen de trap af, zetten een paar stappen en houden midden op het plein stil. Als eerste komt Salvatore naar buiten. Hij heeft rode randen om zijn ogen en ziet mij niet, of vindt me niet belangrijk. Naast hem loopt Pa Mitchell, bij elke stap leunend op een wandelstok. Ik ben opgelucht dat hij niet in die kist ligt.

De kerkgangers vormen een stoet achter Salvatore en zijn opa. Twee, drie, vier mensen naast elkaar, steeds gevolgd door weer zo'n set, een tientallen meters lange stoet met helemaal vooraan de kist. Ik kijk uit naar Salvatores moeder. Onwillekeurig zoek ik haar oude jurk, dan realiseer ik me dat zij natuurlijk ook iets zwarts zal dragen.

De laatste mensen komen de kerk uit, een oude man met een gebogen rug die tree voor tree de trap afdaalt, bij elke stap ondersteund door een eveneens oude, kleine vrouw. Ik volg hen het plein op.

'Waar is Salvatores moeder?' vraag ik aan de vrouw.

'Wie ben jij?'

Haar man blijft geduldig naast haar staan, zijn arm in de hare gehaakt.

'Ik ben een kennis van de familie.'

'Weet je het dan niet?'

'Wat?'

'Jacqueline ligt in die kist.'

'Salvatores moeder?'

De vrouw knikt.

De stoet is inmiddels in beweging gekomen. Voorop gaat de priester. Hij wordt gevolgd door de zes mannen met de kist en Salvatore en Pa Mitchell en dan alle anderen. De vrouw en haar man schuifelen achteraan.

Ik ga naast de vrouw lopen. 'Wie zorgt er nu voor Salvatore?'

'Zijn opa, natuurlijk.'

'Pa Mitchell? Maar die kan toch niet voor een kind zorgen?'

'Weet jij iemand anders?'

De stoet buigt af om de kerk.

Eén ding wil ik nog vragen. Ik klamp de vrouw aan. 'Hoe is ze gestorven?'

Ze zegt niks en loopt door.

Haar man blijft staan. Hij haalt een zonnebril uit zijn binnenzak en vouwt hem langzaam open. Zijn handen hebben de bleke kleur van marmer, compleet met de geprononceerde aders. Hij zet zijn bril op en schraapt zijn keel. 'Mitchell heeft haar gevonden. Het was niet fraai. Hij moest iets verzinnen.'

'Hoe bedoel je?'

'Anders hadden ze haar nooit begraven. En hij weet het wel.' De oude man knikt met zijn hoofd richting de priester. 'Of hij vermoedt het in ieder geval.'

Hij legt zijn handen in elkaar achter zijn rug en licht voorovergebogen schokt hij achter de stoet aan, steeds een stap zettend met zijn goede been en dan de andere voet bijslepend.

Iedereen doet alsof er niks aan de hand is. Net als ik, bij de loods, bij die klap in haar gezicht.

Voordat de kist helemaal uit het zicht verdwijnt achter de kerk, stapt Salvatore opzij en blijft stilstaan. Hij kijkt mijn kant op. De hemel is hier overweldigend. Links de kerk, op het plein de bomen en de jongen die nu helemaal alleen staat, meters bij de anderen vandaan, zijn benen wijd, zijn armen iets van zijn lijf af, handpalmen open en naar voren, ogen samengeknepen.

Ik zwaai naar hem. Voorzichtig steekt hij ook zijn rechterhand omhoog en wiebelt hem zacht in de lucht.

Zes jaar oud en een heel leven voor zich dat zijn moeder niet zal zien.

49

We horen niks. Ik ben in de serre een doek over de tafels aan het halen, met mijn rug naar de verkeerde kant. Mijn vader is in de keuken. Het is zondagochtend, het eiland is nog rustig, wij doen in langzaam tempo onze dingen.

Ik hoef Daniël niet naar school te brengen, ik hoef eigenlijk niks vandaag, mijn vader heeft gezegd dat hij de lunch alleen doet. Ik bedenk wat Daniël en ik kunnen doen, en of ik Cathy of Alessandra mee zal vragen. De meeste kinderen van Daniëls leeftijd maken al speelafspraken, maar voor hem hoeft dat nog niet. Hij is liever bij ons. En trouwens, op zondagochtend zijn de meeste kinderen naar de kerk met hun ouders.

Sinds hij naar school gaat, valt het me op hoezeer ik buiten deze gemeenschap sta. Toen ik zelf op school zat, merkte ik natuurlijk dat wij anders waren, maar ik had wel het gevoel dat we hier thuishoorden. Dat is niet waar, ik dacht er helemaal niet over na. Maar naar de kerk gaan. Hoe kom je erop? Zondag is een moeilijke dag als je niet sport en niet gelooft. Misschien zwemmen, dat kan altijd, bij Ramla Bay, of de

Inland Sea bij het azuren venster. Dan nemen we zijn schep en emmer mee en kan hij in het zand spelen, bandjes om zijn armen, hij moet wel veilig blijven.

Ik mis zijn armpjes om mijn been. Meestal loopt hij met me mee als ik een rondje langs de tafels maak, en dan kan hij ineens mijn dij omklemmen en zijn hoofd tegen me aan drukken.

Er wordt geklopt, snel en hard, het is meer rammen dan kloppen. Mijn vader komt uit de keuken en we kijken elkaar aan en ik weet dat we hetzelfde denken.

Ik ren naar de serredeur en trek aan de klink. Hij zit nog op slot.

Mijn vader staat naast me met de sleutel en zodra hij de deur open heeft, storm ik naar buiten, naar het zand, zonder te luisteren of te kijken naar de man die bij de deur staat, op het terras, met zijn armen slap langs zijn lichaam.

Het was mijn vaders idee. Hij had hem gevraagd of hij wilde helpen, en toen kon ik het niet over mijn hart verkrijgen om het terug te draaien. Naast zijn open hand liggen twee sigarettenpeuken en de dop van een colafles. Op zijn voorhoofd zit een kleine schram. Dat is alles. Hij ligt op zijn rug, ontspannen, beentjes licht gebogen. Zijn andere arm ligt over zijn buik.

Ik schreeuw, dat moet wel, iedereen zou schreeuwen, maar ik merk het niet. Met mijn bovenlichaam hang ik over hem heen, steunend op mijn ellebogen, zonder hem aan te raken, ik weet dat dat niet mag, ik zou zijn nek of zijn rug kunnen beschadigen. Ik kan alleen als een tent over hem heen hangen tot ze komen, hem beschermen tegen de zon en de lucht en de dingen die er zijn. Het is vreemd dat hij zijn ogen dicht heeft. Zou hij ze dicht hebben gedaan tegen de zon? Dan leeft hij. Misschien moet ik hem juist ruimte geven. Niet over hem heen hangen. Zijn ze aan het bellen? Natuurlijk zijn ze aan het bellen. Maar hij is dood, het heeft helemaal geen zin, ik kan doen alsof het niet zo is, maar ik zie het aan hem, dit lichaam is leeg, hij is eruit weggegaan.

Later maakt mijn vader me voorzichtig van hem los. De mannen van de ambulance leggen hem op een brancard en dragen hem het restaurant in, bij de weg vandaan, bij de auto die als een domme koe uit zijn gedoofde koplampen over het zand staart. Ik duw mijn vader van me af.

'Ik heb hem niet gezien. Hij moet op zijn knieën gezeten hebben. Ik heb hem niet gezien.' De man die de auto heeft bestuurd, blijft deze dingen zeggen, maar ze doen er niet toe. Ik vlieg hem niet aan, ik probeer niet zijn ogen uit te krabben of zijn keel dicht te knijpen. Ik sla niet met mijn vuisten in zijn gezicht. Alle dingen waarvan je denkt dat je ze zou doen, doe ik niet. Ze zouden zinloos zijn en ik kan niks wat zinloos is meer verdragen. Ik ben niet eens boos op die man, hij heeft hem niet gezien, dat geloof ik, het is niet zijn schuld dat Daniël daar aan het spelen was. Mijn vader aan het helpen was.

50

218 De zon is gezakt, hij hangt achter de kerk boven de haven en
de wind wordt sterker. Ik sta aan dek, op de achterplecht, en
kijk naar een verdwijnend eiland. Een jas wil ik niet aan. Er lopen rillingen over mijn rug, ik heb kippenvel op mijn bovenarmen en ben zo moe dat ik ervan klappertand.

Ik koester de kou, de honger, de vermoeidheid, ik voel me
leeg en licht genoeg om te kunnen dansen op blote voeten. Ik
doe mijn schoenen uit, mijn sokken en ga op mijn tenen staan,
steek mijn armen in de lucht en draai om mijn as als het danseresje in Cathy's muziekdoos.

Alles verdwijnt in de schemer, alles blijft op Gozo. Behalve
één jongen, die zal ik altijd bij me hebben, hij zal me vergezel-
len tot alles ophoudt.

Het is donker geworden. Ik trek mijn sokken en schoenen
weer aan en loop naar de voorplecht. Nog een paar minuten,
dan zijn we bij de kade.